てらいんくの評論

石井桃子論ほか　第二

現代日本児童文学への視点

竹長 吉正

①

②

＊口絵の解説は本文の巻末235～238ページにあります。

③

おひとよしの りゅう
ケネス＝グレーアム作　石井桃子訳

④

幻の朱い実
下
石井桃子
岩波書店

幻の朱い実
上
石井桃子
岩波書店

現代文
三訂版
三省堂

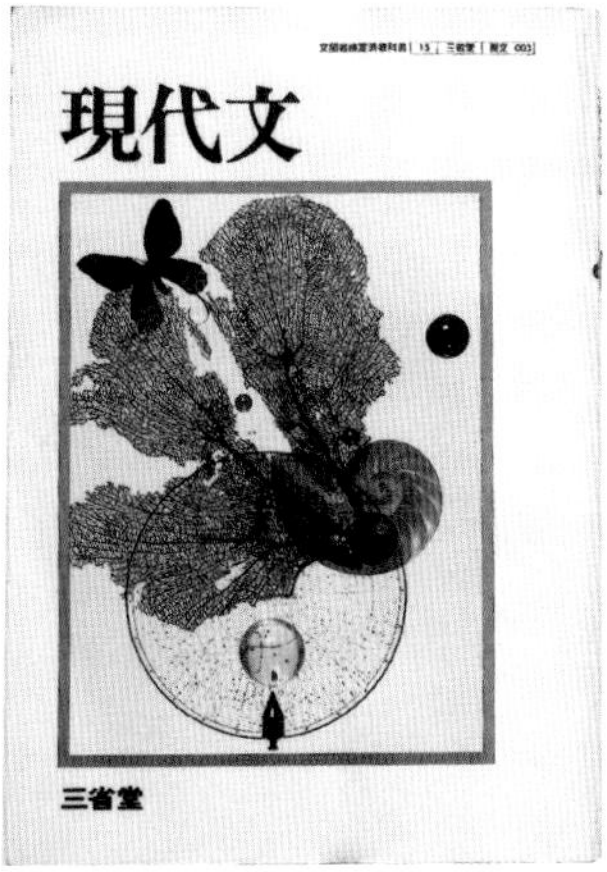
現代文
三省堂

⑤

少年少女
講談社文庫
愛と苦しみの交響曲
ベートーベン
高木 卓

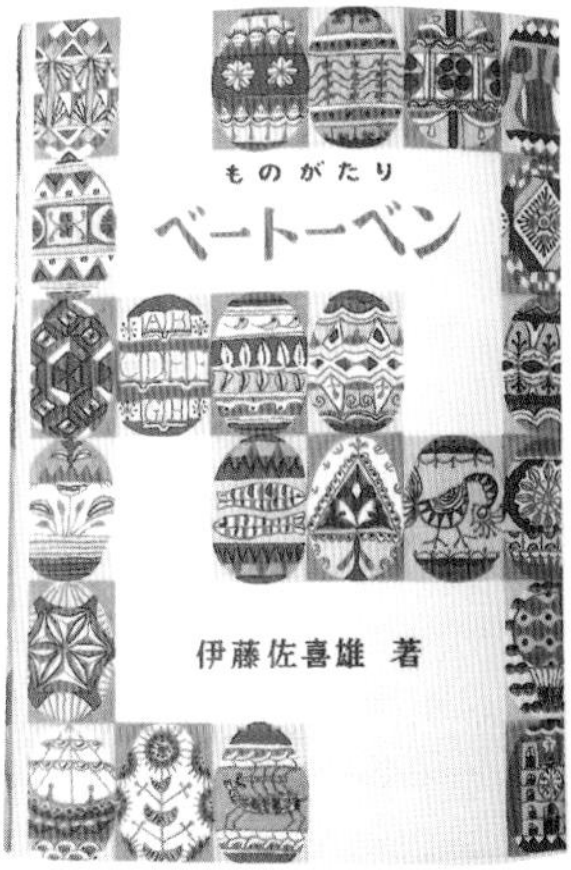
ものがたり
ベートーベン
伊藤佐喜雄 著

⑥

少年少女小説選集
赤いコップ
兒童文學者協會編

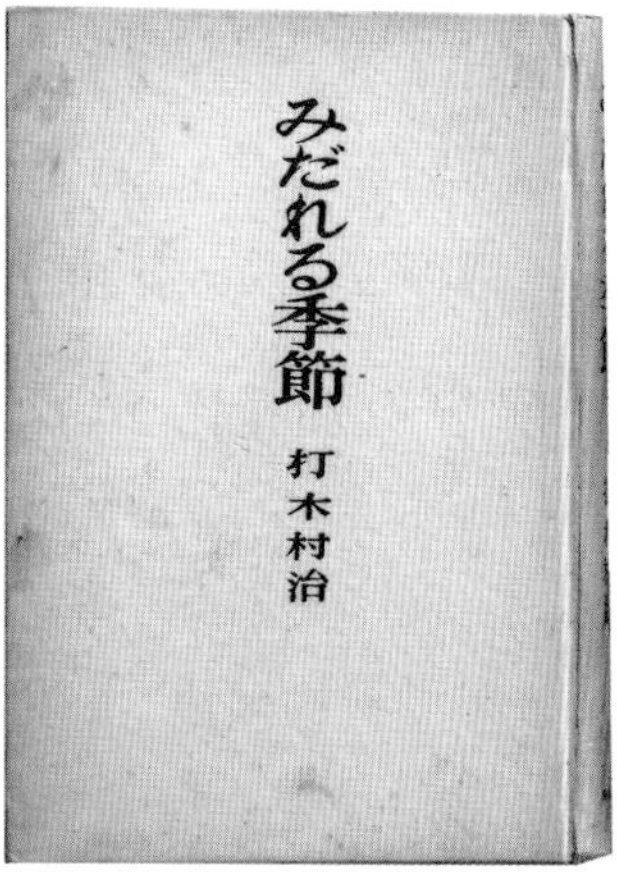
みだれる季節
打木村治

⑦

学校に馬がやってきた
植松要作・作
横内　襄・絵

⑧

石井桃子論ほか　第二

——現代日本児童文学への視点——

はじめに

この本は現代日本児童文学への視点を示したものです。まず石井桃子、そして宮沢賢治、金子みすゞへとやや広がって行き、さらに詩人の永瀬清子、小説家の打木村治へと広がって行きます。児童文学論の本になぜ永瀬や打木を取り上げるのかと不思議に思う人がいるかもしれません。打木は調べればわかります。永瀬は詩人ですが、この本で述べることは彼女の詩の中に児童文学的要素が色濃くあるからです。

終わりは二本。ベートーヴェンについての伝記二冊、そして馬に関する絵本を数冊取り上げています。児童文学に関わりをもって長い間過ごしてきたわたくしは、人間よりも動物の方に興味関心を持つようになりました。

まずは猫です。漱石の『吾輩は猫である』ではありません。石井桃子の『山のトムさん』です。そして、『おひとよしのりゅう』の竜です。『なめとこ山の熊』の熊です。最後の第十一章に出てくる三匹の馬です。動物の登場するこれらの作品を読んでいたら、児童文学とは子どもばかりが登場する作品ではなく、動物の好きな大人読者が夢中になる「動物主体の作品」なのかなと思うようになりました。

石井桃子の『山のトムさん』を読んでいると、まさに猫好きになります。それから、第五章の中谷千代子の絵本『くいしんぼうのはなこさん』の文章は石井桃子が書いています。牛のハナコは大威張りのわんぱく娘で、とても愉快です。そして、宮沢賢治の『なめとこ山の熊』は母熊と子熊のほのぼのとした風景を浮かび上がらせますし、片や金子みすゞの詩「町の馬」は叱られ叱られ荷物のお魚を曳いて町へ帰って行きます。

ベートーヴェンの伝記が出てくるのは突発的で、まさに火山の噴火が起きたようで読者は「あれっ!」と驚くでしょう。読者の皆さんも大好きな音楽家の話です。ベートーヴェンの音楽はよく聴くが、彼の伝記は知らないという子どもがいるのではないでしょうか。そのためにこの本でベートーヴェンの生涯を学んでください。

最終は馬に関する絵本のことです。堀内誠一の馬の絵本は「まぼろしの絵本」です。いったい、どのようなものでしょうか?　期待を込めてぜひ、この本を読んでください。そうすると、「まぼろしの馬」が皆さんの夢の中にきっと出てくるでしょう。

二〇二一年七月吉日

竹長　吉正

目次

第一章　ある葉書から珍談へ

――石井桃子のドイツ旅――

1

関楠生《せきくすお》というドイツ文学者がいた。彼は一九二四年（大正十三）、静岡県に生まれた。東京大学の独文学科を卒業。大学でドイツ文学を教える傍ら、翻訳を多数行った。一九六五年（昭和四十）から一年間、ドイツのフライブルク大学に滞在し研究・研修などを行った（注1）。

ドイツ文学の翻訳ではシュテファン・ツヴァイク作の『マリー・アントワネット』（河出書房）、トーマス・マン作の『ヴェニスに死す』（中央公論社）があり、児童文学の翻訳ではアグネス・ザッパー作の『愛の一家』（集英社　一九七九年三月）、ウルズラ・ウェルフェル作の『こんにちはスザンナ』（学習研究社　一九六七年）、『いたずらっ子といたずらヤギ』（学習研究社　一九七八年）、『火のくつと風のサンダル』（童話館出版　一九九七年七月）等がある。なお、『火のくつと風のサンダル』は一九六六年、学習研究社から最初に出たものであり、童話館出版のものは再発行である。絵は同じ久米宏一だが、表紙が若干、異なっている。

また、ウェルフェルの作品で有名なのは『灰色の畑と緑の畑』だが、これは岩波書店から出版されている（一九七四年七月、第一刷で、一九七九年十月、第三刷である。）。翻訳者は野村泫《ひろし》である。なお、作者ウェルフェルの日本語表記であるが、野村の訳ではヴェルフェルとなっている。野村は関より一年後の一九二五年（大正十四）生まれ。京都大学文学部の独文学科を卒業。東京外国語大学で長く教えて名誉教授となる。リルケやカフカの作品のみならず、ドイツの口承文学や児童文学の研究も行った。著書に『昔話と文学』（白水社）『グリム童話』（筑摩書房）等がある。

ところで、関の翻訳書は他に、ハンス・バウマン作の『草原の子ら』上巻・下巻（岩波書店一九五七年）、同じくバウマン作の『イーカロスのつばさ』（岩波書店）、ヘンリー・ウィンターフェルト作の『カイウスはばかだ』（岩波書店）、同じくウィンターフェルト作の『ポニーテールは王女さま』（学習研究社）等がある。

また、関は一九六五年（昭和四十）から一年間、ドイツにいたとのことであるが、石井との関連で言うと彼はそれ以前にもドイツに滞在していたことがある。ドイツ文学の研究者であるから、そのようなことは当たり前のように思うが、石井が最初にアメリカおよびヨーロッパを旅していた一九五四年（昭和二十九）～一九五五年（昭和三十）の時、関はドイツに滞在していたようである。

なぜ、そのようなことを言うかというと、石井がミュンヘンにいた関に葉書を出しているからである。

そのことの詳細を以下、述べる。また、面白いことに石井が初めてのドイツ旅行でとんでもない失敗をやった。そのことを石井は自ら、「珍談」という題で記している（注2）。この文章は、わたくしにとって、とても愉快な文章に思えた。それを以下、紹介する。

2

それでは、まず、関楠生に宛てた石井桃子の葉書を紹介する。文面は次のとおり。


お別れしてから一月《ひとつき》、ミュンヘンも暑くなったでしょうか。あの日は駅まで来て下さったそうですのに、どうしてお会いできなかったのでしょう、まことに残念でした。

ロンドンからイタリーに入ったのが十四日、いんうつなロンドンのけしきを見たあげくには、夢のある思いでした。イタリーは町が小さいだけ、旅のシーズンには動きがとれず、ヴェニスに行こうと思った二日を、ミラノによけいに居てしまったのは残念でしたが、骨休めにはなりました。

昨日十時にフローレンスに参りました。午後、宿からちょっと散歩に出たら舗道の所に出てしまい、何だか宝の山に入ったようにキョロキョロしています。

お元気で、ご滞在の残りの日をお過ごし下さい。

みなさんによろしく。

この葉書は白黒写真の、いわゆる絵葉書であり、表にはミュンヘン在住の関の住所氏名と、この文章が書かれている。葉書の表の上欄に関の住所氏名、下欄にこの文章と石井の署名がある。葉書の裏は全面、白黒写真であり、フローレンス（＊イタリア語でフィレンツェ。英語でフローレンス）のウッフィツィ美術館が写っている。

3

石井は一九五四年（昭和二十九）五月、岩波書店を退社し、八月十二日、船で北アメリカへ出発した。ロックフェラー財団の奨学資金を得ての研究・研修旅行である。

八月二十四日、サンフランシスコに着いた。それから、ニューヨーク、ピッツバーグなどに行き図書館学の勉強をしたり、多くのライブラリアン、絵本作家、児童文学者と会う。

一九五五年（昭和三十）六月末、アメリカからヨーロッパに向かった。ヨーロッパではまずドイツのミュンヘンでイェラ・レップマンと会った。レップマンは国際児童図書評議会の設立者である。それから、石井はフランス、イギリス、イタリアへ行く。イギリスではライブラリアンとして有名なアイリーン・コルウェルと会い、彼女からたくさんの話を聞いた。

それから、九月、日本に帰った。帰国後、石井は海外の旅で学んだことを実行に移すべく、「子どもと本」の会を発足させた。これがのちのISUMI（イスミ）会である（注3）。

このような一九五四年（昭和二十九）から一九五五年（昭和三十）にかけての石井の活動は、彼女の四十七歳から四十八歳にかけての活動である。

ところで、前掲の石井の葉書のことであるが、それは一九五五年（昭和三十）、石井がアメリカからヨーロッパにわたり、ドイツに滞在していた時のことに関係している。レップマンと会った時のことも興味あるが、わたくしにはもっと興味深いことがある。それを以下、詳しく述べる。

4

それはミュンヘンでの出来事である。

一九五五年（昭和三十）の夏、石井は九ヶ月のアメリカ滞在から脱け出してヨーロッパに向かった。フランスを経由してドイツに向かった。ミュンヘンに腰を落ち着け、ある出版社を訪ねることにした。出版社の名はエンスリン社。まず手紙を出してから、行くことにした。その出版社は石井の本をドイツ語に訳して出版していたのである（注4）。

七月十八日、朝、ドシャ降りの雨だった。ホテルからタクシーでミュンヘンの中央駅（ハウプトバーン・ホフ）へ向い、列車に乗った。まず、プロヒンゲンという駅で降りて、乗り換える。そこまでは順調だった。

それから先は、次のとおり。

乗りかえは、ごくかんたんである。切符を見せれば、駅員が指さして、いくべきプラットフォームを教えてくれる。かなり大勢の人といっしょに待っていると、まもなく、すすけた小さな汽車がやってきた。（中略）

プロヒンゲンから、一時間だから、もうそろそろと注意を集中していると、思いもかけず、小さい小さい駅で、「ロイトリンゲン」という文字が、私の窓の前にとまった。私は、カバンをつかんで、とびおりた。

エンスリン社はロイトリンゲンという町にあるのだ。この続きを読んでみよう。

こんないなかに、出版社が！　という不審が、一瞬、頭にひらめいたが、私はすぐ、青梅《おうめ》の精興社を思いだし、日本でも、竹やぶのそばに、大きな印刷所のあることもあるのだものと、思いなおした。

ところが、切符をだすと、駅長さんが、「ナイン！」と言う。そして、看板を指さしたり、汽車のほうを指さしたりする。（中略）汽車のほうは、もう動きだしていた。最後の窓から、さっき切符をしらべに来た人のよさそうな車掌が、「あれよあれよ」というような表情で、ゆく手を指さしている。（中略）汽車をとめてくれるんじゃないかな、と思ったが、いってしまった。

あたりは、一面の牧草地。チラホラと農家があり、駅の前の小さい広場の、大きな木のかげに、もう雨がやんだので、子どもがあそんでいた。

石井は降りる駅を間違えたのである。なぜ間違えたのかというと、駅にあったのは「次はロイトリンゲン」という意味の看板だったからである。

それから、石井は降りた駅の駅長や、農業組合の事務員らしい青年と英語で話をする。石井が「英語を話しますか」と聞くと、駅長も青年も「ナイン」と言う。

それから、石井は英語と少しのドイツ語交じりの会話で青年と話し、ロイトリンゲンはすぐ次の駅であり、あと一時間すると汽車の来ることがわかった。そして、青年は去っていく。石井は駅の待合室で待っていたが、駅長と片言のドイツ語、それに手書きのドイツ語で通信する。「次の駅で待っているヘブサッカーという人に会いたい」と伝えると、駅長は長い電話をかけ始めた。ヘブサッカーとは、エンスリン社の社長の名前である。

それから、五分もしたろうか。子どものあそんでいる大木のそばを、中型の自動車が走ってくるのが、私のそばの窓から見えた。そして、駅長さんが、来た来たと手をふって見せる。

私は、とびあがって、かけだし、駅長さんの手をにぎりしめてから、自動車のほうに走っていった。運転台には、七十ぐらいの品のいい老人が坐っていた。

私は、思わず手をだして、「ヘール・ヘブサッカー?」と聞くと、そうでないと首をふる。そして、まず、私のカバンをうけとってから、ここへ乗れと、自分のわきの席をたたいて見せた。私は、のりこみ、車は走りだした。

さて、これからどうなるのだろう? 石井は無事にエンスリン社にたどり着けるのだろうか? 読者はハラハラドキドキする。

5

出版社の社長でないとすると、この運転手はどんな人なのだろうか? 先を読んでみよう。

出版社の社長でないとすると、運転手かなと、私は思った。あたりは、美しいみどりの田園。このドライヴは、まことに気分のいいものだった。おたがいに、時々何か話しかけるが、わからないので、笑ってしまう。

二十分もいったころ、そろそろ家並が見えてきた。老人は、「シュッシュッ!」と、汽車のまねをして見せる。なるほど、右手の通りの向うのほうに、ふみきりが見えた。すぐにぎやかな通りにはいって、まぎれもない、大きな停車場の前までくると、車はとまった。車はロイトリンゲンという駅の前に停まったのである。出版社の運転手なら石井をエンスリン社に連れていくはずなのに、どうして駅前で停まったのだろう? 石井は不思議でならなかった。そこで石井は和独辞書の頁を繰って、「友だちが、この駅で待っているのだ」と告げた。すると、運転手は車から降りて、駅の方へ行った。しばらくして、運転手は戻って来た。あなたを待っている人はいなかったというふりをして石井の顔を眺めた。

運転手はこまったなあという顔をして石井の顔を眺めた。

その時、私は、きゅうに思いだした。私は、たずねていくエンスリン社のアドレスをもっていたのだ。手さげから、それをだして見せると、老人は、よほどうれしかったと見え、大ニコニコ。「ヤアヤア」と、うなずいて、勢いよく車をだした。

それから、石井はエンスリン社の建物に着く。そして、社長の息子と会う。

最後に、まん中の、一ばん大きな建物の前に立ったときだった。背の高い、とてもハンサムな青年が、ちょうどおくから出てきた。こういう者だが、駅をまちがえて降りてきてしまったのだがと、話すと、青年は、カラカラ笑って、「私は、ヘブサッカーの息子です。父も母も妹も秘書も、心配しながら駅であなたを待っていますよ。いま、電話がかかって来ました。ソーサク願いを出すところです。」と、笑いがとまらないようだった。

「そんなことより、この年よりはだれですか。」と、私は聞いた。「この親切な人は、あっちの駅から私をここまでつれて来てくれたんです。」

若いヘブサッカーさんの聞いてくれたところでは、その人は、ただ用事で、ロイトリンゲンにくるついでに、私をつれてきてくれたのだそうな。私のお礼のことばも聞きおわらないで、その人は、いってしまった。

石井はあの老人の運転手に大きな感謝の言葉を述べたかったのだろう。あの人は「ただ用事で、ロイトリンゲンにくるついでに、私をつれてきてくれた」のである。それが事実であったにしても、石井はあの老人のとことんの親切さに頭が下がったのである。言葉が充分に伝わらない土地で、このような親切を受けた喜びが石井には忘れられなかった。

「ついでに、私をつれてきてくれた」等とは思わない。「あの小さい駅の駅長さんが、友人をよんで」私をロイトリンゲンの駅まで送り届けてくれたのだ、石井はそう思う。したがって、老人の運転手のみならず、駅長さんにも感謝、感謝である。

6

ところで、このエッセイ「珍談」の末尾は次のとおり。

ミュンヘンに帰って、その冒険談（？）を、図書館の人にしたら、「ドイツに、まだそんなしんせつな人が、生きていましたかねえ。」ということだった。

確かに言葉の通じない外国でこのような体験をするのは珍しくはない。それにしても、わたくしは五十代の前半、ドイツに行ってこれと似た体験をしたことがある。マインツの近くのウィスバーデンで道に迷い、パン屋のおじさんに助けられ、ホテルまで送ってもらった。異郷の地において助けられたことは印象に強く残る。いろんなことは忘れるとしても、名も知らぬ人に助けられたことは終生、忘れられないのである。

石井にとって、ドイツの小さな町で出会った運転手さんと駅長さんは終生、忘れられない人であっただろう。
ところで、わたくしも石井と同じく英語の聞き取りや話すのはできるが、ドイツ語はダメだった。Linguaphone の Deutscher Kursus で学習したのだが、どうしても身に付かなかった。それでも行きたくてドイツを旅したのである。若くて元気な時は誰でも外国を旅してみたいのであろう。

注

（1）関楠生がフライブルク大学で一年間、研究・研修したことは、彼の訳書『いたずらっ子といたずらヤギ』（学習研究社　一九七八年）の訳者紹介に記されている。
（2）石井桃子「珍談」（岩波書店刊『石井桃子集　7』所収　一九九九年三月）。なお、「珍談」は『石井桃子集　7』の〈忘れ得ぬ人びと・身辺雑記〉の篇にあり、全七ページの短い文章である。末尾に「一九五五年」とあり、初出の発表誌は不明。しかし、この短い文章は米欧の旅直後のじつに新鮮な文章である。
（3）イスミ会のメンバーは、石井桃子、瀬田貞二、松居直、いぬいとみこ、渡辺茂男らである。
（4）以下の文章の内容及び引用は、前出（2）「珍談」による。

第二章　『山のトムさん』と『三月ひなのつき』

――愛しい猫とお雛さま――

1

『山のトムさん』は初め、光文社から発行された。『ノンちゃん雲に乗る』も大体、同じ時期に発行された。もちろん、『ノンちゃん雲に乗る』の方が先の出版である。光文社の創作童話シリーズは壺井栄の『母のない子と子のない母と』『二十四の瞳』『柿の木のある家』等を出版していた。

他に青木茂の『三太物語』『笛のおじさん、こんにちは』、北畠八穂《やほ》の『あくたれ童子《わらし》ポコ』『お山の童子《わらし》と八人の赤ん坊』、与田準一の『五十一番めのザボン』、坪田譲治の『善太三平物語』、それに宮沢賢治の『風の又三郎』等も出版していた。

光文社発行の『山のトムさん』（一九五七年十月初版）には「著者の自己紹介」が載っている。また、この自己紹介のページ上段に、石井の写真が載っている。その写真は石井だけでなく他のものも写っている。その他のものが、かわいい猫である。石井が抱っこしているこの猫は、おそらく『山のトムさん』のモデルとなった猫であろう。この写真は、のちに出た福音館書店発行の『山のトムさん』（一九六八年七月初版）には載っていない。福音館書店版の『山のトムさん』に載っている写真は、縄で編んだ籠の中に横向きになっているトムさんの姿である。そして、石井は写っていない。わたくしはこの二枚の写真を比べて、光文社版の写真の方が気に入った。トムさんは正面を向いているし、抱っこしている石井の笑顔が素晴らしい。石井は後年、この写真が恥ずかしくなって取り下げたのだと思う。自分が写っているのが恥ずかしくなったのだろう。しかし、この写真はいかに石井が猫好きであったかの貴重な証明になる。

2

光文社版『山のトムさん』の末尾に載っている「著者の自己紹介」は次のとおりである。

自己紹介は、不得手です。いつも、自分にはよくわかっている自分という人間が、ひと口で、ひとにわかってもらおうとすると、いかにも、ひとなみのことをしていないで、変人に見えてくるからです。

戸籍しらべのようなことだけをあげるなら、明治四十年三月十日、埼玉県津和市生まれ、八人きょうだいの下から二番め。生まれた当時、父は銀行勤め。家は金物屋。

昭和三年、日本女子大学英文科卒業。

その後、文芸春秋社に数年勤め、その後、新潮社から出た第一回の「少国民文庫」編集のため、山本有三氏のもとに働き、その後、翻訳などするうちに戦争になる。戦後は、宮城県栗原郡鷺沢村で、友人と百姓をはじめる。それだけでは、生活できなくなって、五年ほどして、上京。岩波書店の「少年文庫」編集につき、それ以来、東京と東北を往復する生活がはじまる。昭和二十九年夏から、三十年秋まで、児童叢書の出版状態を見るために、欧米をまわる。帰国後、また、東京⇅東北の生活をはじめる。

こう書いてきて、「なぜ?」「どういうわけで?」と問いかける人が、わきにいないのは、気がらくなことです(注1)。

これは石井自身が書いたものか、それとも出版社の人が石井から聞いて書いたのか定かでない。しかし、わたくしの判断では石井自身が書いたと思う。

それにしても、コンパクトにまとめられている。ただ、現時点では、若干、修正と補足が必要である。それを行ってみる。

まず、「埼玉県津和市生まれ」というのは誤植であり、浦和市生まれである。「八人きょうだいの下から二番め」。これは間違いでないが、補足を必要とする。八人きょうだいのうち、長兄と弟は、生まれて間もなく亡くなった。よって、石井には次兄一人、姉四人であり、本人の桃子は末っ子として育った。そして、石井家には祖父もいた。

「家は金物屋」というのは祖父が行っていたもので、店の名は釜屋《かまや》である。そして、父は「銀行勤め」であり、銀行の名は浦和商業銀行である。その支配人になっていた。

また、光文社版『山のトムさん』初版を出版した一九五七年（昭和三十二）の後、東北には行かなくなり、東京の荻窪に住むようになる。

3

福音館書店発行の『山のトムさん』（一九六八年七月初版）の「あとがき」に、「今度、同社（＊竹長注記、光文社）の了解を得て、福音館に版を移すにあたって、一、二の字句を改め、字使いなどをなおしました。」とある。但し、画は光文社版を担当した深沢紅子という同じ画家である。しかし、絵の入れ方及び絵それ自体も変わっている。カラーの絵が多く入り、絵のみで一ページを使っている箇所もある。

作品の巻頭に一篇の詩が入っている。作品の読みに入る前の序章である。光文社版では「トムへ」というタイトルであったが、福音館書店版では「トムをほめる歌」となっている。

トムさん、おまえは、もう九つ。
長さは、前後の両足を、
ぐっとのばして、障子のはば。
重さは、おなかぺこぺこの
ときで、一貫百五十。
ネズミなんかは、あいてじゃない。
ウサギもヘビも、くるならこい！
なんのおそるることやあらん。
トムこそ、お山の大将です。
でも、おぼえてはいませんか、
小鳥のように手のひらや、

人形のふとんでねたことを?
さあ、日だまりのえんがわで、
タヌキねいりなんかしてないで、
ちょっとこっちへおいでなさい。
ここに、あなたの本があります。（＊これは光文社版所収の「トムへ」である。）

光文社版と福音館書店版は、九十パーセント同じである。違うのはトムの体重である。光文社版では「一貫百五十。」となっているが、福音館書店版では「一貫五十です。」と変えている。体重の変化にほとんど変わりはない。しかし、深沢紅子の絵には変わりがある。光文社版の本でこのページの絵を見ると、トムは寝そべって目をつむっている。そして、寝そべったトムの両側に障子がある。福音館書店版の絵では、トムはすっくと立ち、こちらを大きな目で見つめている。そして、左側の端に障子がある。「おまえは、もう九つ。長さは、前後の両足を、ぐっとのばして、障子のはば。」この表現に即した絵になっている。だとすると、トムの体重は少し減らしてもよさそうだ。それで、福音館書店版では「一貫五十です。」と変えたのだ。

次に作品の構成である。光文社版では全体を六のパートに分けている。

こうしたパートの分け方を、福音館書店版では改めた。〈二〉以降のタイトルを眺めると、いずれもトムの名が入っている。それ故、トムを前に出して再編する。すると、次のようになる。

・トムの記録《レコード》
・トムのあだ名
・トムの病気
・トムの「おすわり」
・トムの冒険
・トムのおむかえ
・トムのご出勤
・トム、町へ行く
・山のクリスマス

そして、これらの一番前に三つを並べる。

・ネズミ
・子ネコ
・友だち

この三つに福音館書店版では「トムの教育」と名付けた。〈「開墾者の子っこ」とネズミたち〉というタイトルでは煩わしい。こうして、福音館書店版の目次は次のようになった。

トムをほめる歌
トムの教育
・ネズミ
・子ネコ
・友だち
・トムの記録《レコード》
・トムのあだ名
・トムの病気
・トムの「おすわり」

・トムの冒険
・トムのおむかえ
・トムのご出勤
・トム、町へ行く
・山のクリスマス

福音館書店版の「あとがき」を読んでみると次のとおりである（注2）。

（前略）改訂のための読みなおしをしながら、私の心は、ともすれば、文字からはなれて、戦後、ともにくらしたトムや、その他この本に出てくる人物の原型になった人たちとの生活へのなつかしさで、いっぱいになりました。ちんぷなことばですが、まさに「いっぱいに」なってしまったのです。ことに、トムを愛惜する気もちで、心臓は重たくなったと思えたほどでした。（中略）

トムをぬかして、この本の登場人物たちは、まだ健在で、それぞれに年をとりました。ただ、トムだけが、五八年春、私が東京に出ているまに、この世を去って、もう十年、けれども、また、この本を読みかえしながら、あのしなやかで、しっとりと重いからだが、私のひざの上にあって、ながいながい、日本一りっぱなしっぽの先だけで、私の話にあいづちをうってくれているような気がしました。

なんと、私たち——もちろん、トムもまじえて——は、あのころ、一生懸命、毎日を生きていたことよ、と思います。（後略）

これはトムへの鎮魂の言葉であり、こういう言葉に接すると、この本（福音館書店版『山のトムさん』）は亡きトムへの鎮魂歌のように思えてくる。

石井の愛するトムは一九五八年（昭和三十三）の春、亡くなった。ということは、光文社版『山のトムさん』初版の出た時、トムは健在であった。しかし、光文社版の本が出て、約五か月後にトムは亡くなった。人間なら九つと数ヶ月である。よって光文社版『山のトムさん』初版の出た時はトムは健在であったが、福音館書店版の出た時はトムの死後十年であったということになる。石井はトムの十年供養のつもりで福音館書店版『山のトムさん』を作ったのである。ちなみに、トムはオス猫である。なぜなら、石井が光文社版の「あとがき」で、九つになったトムのことを「人間なら小学三年というところでしょうが、ネコとすれば、おじいさんです。」と書いているからである。もちろん、トムという名はオス（雄）の名である。

4

『山のトムさん』に、こんな話がある。

それから、お昼まで、おかあさんとおばさんは、ろくに口もきかないほど、いっしょうけんめい、田の土をこねまわしていました。近くの鉱山の十一時半のポーが鳴ると、二人は、いっせいに、痛い腰をまっすぐのばし、田のあぜから、はいあがりました。（中略）

おばさんが、池で手足を洗っているあいだ、家のなかでは、しきりに、トムのニーイニーイと、甘えるような声がしています。

「トム、ご飯、出しといたじゃないの。食べたんだろ?」

おばさんは、こんなことを言いながら、急いで家に入りました。

トムは、お勝手にいませんでした。

「おや、トムさん。どこ?」

また、そんなことを言いながら、おばさんは、ストーブをたきつけました。

「ニーイ、ニーイ!」（中略）

そのうち、おかあさんが、入って来ました。

「トムったら、奥にいて、出てこないの。何してるんだろ。」

おばさんが言いました。

「またリスでもとってきたんじゃないか。」

おかあさんは、奥をのぞきました。

「あれ、いないよ。どこだろ。」（中略）

そして、おかあさんは、おざしきへとんでいって、パッと押入れのふすまを開けました。開けた途端、押入れいっぱいの蒲団のてっぺんから、トムは、トシちゃんの低い四角の枕の上に、四本足でつっ立ったまま、すうと、空中滑走して、畳の上に落ちてきました。それは、ちょうど、絨毯《じゅうたん》に乗って、空中を飛んだバグダッドの盗賊そっくりの姿でした（注3）。


このようなトムの愉快な描き方は、いかにも石井らしい。トムが押入れの蒲団の上から、さあっと畳の上に飛び降りる様子は、まさにアラビアン・ナイト（千夜一夜物語）「魔法の絨毯《じゅうたん》」を連想させる。しかし、作家石井のこのイメージは独特のものであり、「魔法の絨毯《じゅうたん》」だけの話とは異なる。

絨毯《じゅうたん》に乗って空中を飛んだのは盗賊ではない。フーセインという名の王子が空飛ぶ絨毯に乗って旅をするという話である。また、別の話で、アラジンという男が不思議なランプをこすると、空中を飛びまわるという大男が現れる。さらに、また、別の話で、アリババと四十人の盗賊という話がある。よって、石井はこの三つの話（空を飛ぶ絨毯の話、不思議なランプから出てきて空中を飛びまわる大男の話、アリババと四十人の盗賊の話）を合わせて、「絨毯《じゅうたん》に乗って、空中を飛んだバグダッドの盗賊」というイメージを頭に描いたのである。

何とも不思議で面白いイメージであるが、石井の頭にはこのような連想力・創造力が備わっていたのである。

ところで、作品『山のトムさん』に出てくるトシちゃんというのは、おかあさんの子どもで女の子である。そして、小学生。おかあさんには、アキラさんという甥《おい》がいる。アキラさんは新制中学校に入ったばかりである。トシちゃんもアキラさんも、おかあさんの家に同居している。そして、ハナという名前のおばさんも同居している。このおばさんは、時々、用事で東京に出かける人であり、この人が石井をモデルにした登場人物である。

トムはおかあさんの家に住んでいる。七時半に子どもたちが学校へ行き、八時半に十五人の娘さんがおかあさんの家に裁縫を習いにやって来る。それから、おかあさんは山羊、めん羊、牛などの世話をする。とても忙しい人である。

おかあさん、ハナおばさん、トシちゃん、アキラさんの四人は、北国のある山間に出来た「開墾者の家」に住んでいる（注4）。その家に、ある日、ネズミ捕りのためにネコを飼うことになった。そして、とうとう、手のひらにのった小さな子ネコがやって来た。それがトムである。

さて、前掲引用の箇所に戻って話を続ける。

もう時がずいぶん経過して、トムはだいぶ大きくなった。ある日の朝、トシちゃんが蒲団を押入れにしまおうとしていた。そのすきをねらって、トムが押入れに飛びこんだ。それからトムは蒲団の上ですやすやと、眠ってしまった。

この後、トムはどうなったのだろう？　続きはこうである。

　トムは、二人のおかあさんに救い出されて、うれしさのあまり、ゴロゴロ、喉《のど》を鳴らすだけでは、間に合わないで、スカスカ、スカスカ、十の風車のように、激しく鼻を鳴らしながら、自分の食卓に駆けつけました（注5）。

何と微笑ましく、元気なトムであることよ！

この文を読むと、読者はほっと安心し、胸をなでおろす。

5

石井のもう一つの作品『三月ひなのつき』（福音館書店　一九六三年十二月＊一九七一年十一月第十刷）を見てみよう。挿画の担当は朝倉摂である。『山のトムさん』の絵に比べると、ずいぶん高学年向きである。

話の中身は、単純である。登場人物は、よし子とその母、そして、よし子の友人のさえちゃんである。よし子は小学生であるが、何年生か定かでない。しかし作品を仔細に読むと、「おかあさんに女の子が生まれて、よし子という名前がつけられ、今年、その子は十《とお》になりました。」とあり、たぶん五年生だと考えることができる。

三月三日は女の子の節句の日であるが、その日はよし子の父の命日でもあった。父が亡くなったのは「おととしの春」（二年前の春）である。それ故、時間がそれ程たっていないある日、よし子は三光ストアのウインドー（陳列まど）に「いいもの」を見てきたと母に告げる。「さあ、何かしら。よし子のいいものは、あんまりたくさんあるから、お母さん、きっと当たらないわ。」と言う。よし子はがっかりする。お母さんはなぜよし子のいいもの（おひなさま）の話を続けないのだろう。それをよし子は次のように理解している。

おかあさんは、よし子に三光ストアのおひなさまを買ってやりたくないのです。おかあさんは、自分が、小さい時持っていたおひなさまが、あんまりすてきだったので、どんなおひなさまも、気に入らなくなってしまったのです（注6）。

それでは、おかあさんが「小さい時持っていたおひなさま」とは、どんなおひなさまなのだろう？　これが読者の目と心を引く。ここがこの作品の一つのポイント（要点）である。

6

以下、この作品を読んでいくと、よし子が友だちのさえちゃんと学校の帰り、三光ストアのおひなさまを眺める様子が詳しく描かれている。

一メートル半もあるかと思われるひな段には、まっかなきれが敷かれ、その上に並んだおひなさまは、金や銀や赤や黒の衣装をつけ、いかにも出来立ての顔をてらてら光らしていました。（中略）それから、よし子をびっくりさせたのは、りっぱなお道具でした。（中略）お膳からタンスから、よし子の名も知らないようないろいろなものから、御所車《ごしょぐるま》までそろっていました。

「うわぁ、この車！　お人形のせて、ほんとに引けそうだ！」と、さえちゃんが言いました。「ねえ、こんなおひなさま、誰かが、はい、あげるよって、くれたら、どうする？　あたしなら、ひっくりかえっちゃう……」

さえちゃんは、目をつぶって、てすりにがっくり、もたれかかってみせました。

よし子も、ふしぎな気がしました。こうして飾ってあるのは、誰かに買ってもらうためなのです。誰か、これを買う人がいるのです。いったい、どんな子どもが、これをもらうのでしょう。どんな家に、飾られるのでしょう（注7）。

よし子は母から、母の生家にあったおひなさまの話を聞いたことがある。それはとても素晴らしいおひなさまであったそうだが、よし子はそれを実際に見たことがない。なぜなら、それは一九四五年五月二十六日の空襲で、家と共に燃えてしまったからである。そして、「前のおひなさま」（母の生家にあったおひなさま）がおかあさんの心に美しく刻み込まれてしまったので、おかあさんは他のおひなさまを代わりに飾ることができなくなってしまった。これは、母の一種のトラウマである。そして、このことで母とよし子との間に溝ができた。いったい、どうしたらいいのだろうか。

7

よし子はさえちゃんと三光ストアのおひなさまを見た後、家に帰り、おひなさまを「買ってえ」と母に言う。しかし、母は賛成しない。「ああいうところにあるのは、金ぴかの安っぽいのだって、おかあさん、見なくてもわかってるから。」と言う。

それから、二人の間にトラブルが発生する。「安っぽい、金ぴかのであたしはいいの！」とよし子は強引に言い張る。この後の二人の様子は次のとおり。

よし子は、逃げ出そうとしました。でも、後ろから延びてきたおかあさんの手が、しっかりよし子をおさえて、放しません。よし子は、しばらく、おかあさんの胸に頬を押しつけて泣いていました。よし子は、とうとう言ってしまったのです。いつも心の中で考えていて、言えないでいたことを言ってしまったのです。

おかあさんは、子どもの時、この上もないおひなさまを持っていました。そして、しあわせだったと、いつも言っています。でも、よし子は、それを、おかあさんからお話として聞かされるだけではありませんか。よし子だって、自分のおひなさまがほしいのです。でも、家のことを考えて、今まで我慢していたのです（注8）。

この後、おかあさんはよし子を抱きかかえたまま、何とか言います。もし、この後、よし子がおかあさんの所から飛び出して、友だちのさえちゃんの所に行くか、それとも、三光ストアの周りをぶらぶら歩きまわったら、どうなるだろうか。わたくしはハラハラしながら、この先を読んだ。

おかあさんはよし子をしっかりと抱きかかえ、絶対に放しませんでした。これが、おかあさんの偉い所である。おかあさんも悩んでいたのです。そして、自分自身反省したのです。少し、言い過ぎた、そして、よし子の気持ちを汲み取ってあげなければと思った。

よし子は泣き止《や》んでから二、三回、おかあさんの腕の中から脱け出そうとしたが、その度《たび》におかあさんにしっかりつかまえられた。

その後の二人は次のとおり。

（前略）そのうち、急に、頭の上でおかあさんの声がしました。

「よし子、今度の日曜日、新宿へおひなさま見に行かない？」

ほっとして、よし子は顔をあげました。

「ほんと？」

「ほら、今泣いたカラスが、もう笑った。」

おかあさんは、笑いました。けれども、おかあさんの目も、何だか泣いたみたいに、しばしばしていました。

「よし子、おかあさん、あなたに意地悪してるんじゃないわよ。わかってるでしょう？」

よし子は、うなずきました（注9）。

8

こうして二人は和解する。これで、この話はメデタシ、メデタシである。しかし、この後、おひなさまの件はどうなるのだろうか？　おかあさんは、よし子に妥協して、よし子の欲しかったおひなさまを買ってくれるのだろうか？

よし子は新宿に行くのは初めてだった。三光ストアはよし子の通っている学校からそれほど遠くないところにある川南銀座《かわみなみ》のはずれにあった。しかし、新宿に行くには川南銀座からバスに乗らなくてはならない。おかあさんはその日、仮縫いに行く仕事があり、その仕事場から新宿に行くことになり、よし子は学校から帰ってから一人でバスに乗った。

そして、新宿の駅前でバスから降りると、よし子はおかあさんの書いてくれた地図を頼りに待合せ場所に向かった。無事、おかあさんに会うことができた。

それから、二人は人ごみの中をかき分けて、大きなデパートに着いた。エスカレーターに乗り、五階で降りた。どっちを向いても、おひなさまばかり。

どれがいいか、決まらず、二人は食堂へ行って休むことにした。おかあさんはよし子にいろんなことを話した。おかあさんは一生懸命に探したが、よし子にあげるにふさわしいおひなさまを見つけることができなかった。よし子はおひなさまよりも、おかあさんの一生懸命な気持ちがわかるようになった。そして、「おかあさん、いいのが見つかるまで待つわ。」とゆったりした気持で言う。よし子の気持はさっぱりしてきた。

その夜、ご飯の後で食べる苺を買って、二人はデパートを出た。

それから、数日後、おかあさんはクラス会に出かけた。

クラス会から帰ったおかあさんはよし子に言う、「友だちっていいもんだわね……あたしが、久しぶりに行ったものだから、みんなが……いいおくさんや先生になったりしている人たちが、学生みたいに、きゃあきゃあ言って、歓迎してくれたのよ。」よし子は「高等学校の生徒みたいに若やいだおかあさん」を見て、「おかあさんはどんなにうれしかったんだろうな」と思う。

二月が終わり三月になったが、おかあさんからはおひなさまの話は全く出なかった。だが、よし子は不平を感じなかった。「あのデパートでの話し合い」以来、二人の間には、それまでになかった「いたわりの気持ち」が生まれていたからである。

三月一日、二日と日が過ぎ、三日になった。その日のことは次のとおり。

三日。よし子が、学校に行こうとすると、おかあさんが言いました。

「きょう、おかあさん、午後、出かけるからね。おやつ、ちゃんとしておくから、誰か、お友だち――さえちゃんと、それから、他に二、三人呼んで、お茶でも飲んだら?」

よし子は、おや? と思いました。いつも、忙しい、忙しいと言っているおかあさんが、そんなことを言ったのは、初めてです。それに、おかあさんの目が、何だか笑うのを我慢しているようにも見えたのです(注10)。

おかあさんはいつものおかあさんじゃない。いそいそと夜遅くまで仕事をしている姿、仕上げたものをいそいそと届けに行く姿、そのようなおかあさんの姿を見てきたよし子は不思議に思う。こういう謎を仕掛けるところが作者石井の得意とするところである。

「おかあさんの目が、何だか笑うのを我慢しているようにも見えた」というのは、おかあさんのエスプリであり、おかあさんの仕組んだユーモアである。

この本の読者である子どもは、早くそれが知りたい、それが見たいと思う。

9

三月三日の続きである。朝、よし子は学校へ行く。おかあさんは午後、出かける。そして、よし子はさえちゃんと別れて、一人で家へ帰ってくる。

鍵を取りだして家の中に入る。下駄箱の上に、今朝はなかった桃の花と菜の花が花瓶に活けてある。そして、障子を開ける。奥の間に行ってふすまを開けると、何かがぱっとよし子の目を射た。それは「赤や白や金や黒の、こまかい色のかたまり」だった。床の間に、ひな壇が出来ていたのである。

それはおかあさんのひなと違う、折り紙のひなだった。おかあさんのひなは木彫りであったが、これはみんな折り紙のひなだった。

よし子は、わっと言いたくなるのを我慢して、足音をしのばせて、そのひな壇に近づきました。そして、腰をかがめて眺めてみると、まあ、目鼻もついていない折り紙のひななのに、どれもこれも、何とこまかく、それぞれのひならしいかっこうに折れているのでしょう（注11）。

ふすまを開けた時、気づかなかった小さな台をよし子は見つける。それは五段のひな壇のそばにあった。木彫りの立ちびなで、女《め》びなと男《お》びなである。これはおかあさんの話に出てきたひなと似ているのではなかろうかとよし子は思う。

そして、ひな壇の前に菱餅が置いてあり、「よし子へ」という手紙を見つける。

この手紙がすべての謎を明かしてくれる。折り紙のひなは全部、おかあさんが折って作ったものだということ。木彫りの立ちびなは柴山さんのおばさま（＊おかあさんの友だち。この前のクラス会で会った友人）からもらったもの。

そして、夜、おかあさんが帰ってくる。おかあさんはおひなさま飾りのある部屋に寝床を作った。それから、二人はおひなさまについてのよもやまの話をする。いつの間にか、よし子よりもおかあさんのほうが、おひなさまに夢中になってしまった。

すると、この物語は子どもより大人の方が張り切って活躍する話なのだろうか。そんなはずはないだろうと思うが、どうであろう。

この物語の最後は、やはり、子どものよし子の話になる。おかあさんの話はどこまでも続くようであるが、それを聞いているうちによし子はどんどん眠くなる。そして、よし子の耳に、ひなの楽人たちの太鼓や笛の音が聞こえてくる。

ひなの人形たちは、にぎやかに動き出す。チャイコフスキーの「くるみ割り人形」みたいである。そして、木彫りの立ちびながよし子に笑いかける。よし子は蒲団に入って眠る前、おかあさんに「もう、紙のおひなさまだけでもいいわ。」と言っていたのだが、夢の中で、木彫りの立ちびなに向って「あなたたちだって、あたしのものなのよ。ずっといつまでもよ。」と言う。

こうして長い話は終わる。終わって考えてみると、この話は子どもと母親とのひな人形をめぐる話だが、最後は母親と子どもが寄り添って、メデタシメデタシに終わる。しかし、どうも子どもの方が母親に押されているように思える。これは作者が自分のおひなさまへの思い出が強くて、それで作中の子どもを引っ張りまわすようにも受け取れる。子どものよし子は途中から、友だちのさえちゃんのことを忘れてしまう。これも不自然な気がする。

三月三日のその日、さえちゃんがよし子の家に来ることになっているのに、そのことが全く書かれていない。

そして、もう一つ、よし子のおとうさんのことである。三月三日はおとうさんの命日である。七日におとうさんのお墓参りをするという予定であったが、このことについての具体的なことは書かれていない。それはお雛祭り以後のことであるが、これも作品の中に入れたらどうであったろう。

中途半端で物足らない面があるのは作者には当然、わかっていたかもしれない。しかし、作者は作品の後半、なぜよし子と母二人だけのことに専念、集中していったのだろうか。

10

石井の作品『三月ひなのつき』はミステリアスな作品である。そして、作品の主人公はもちろん、よし子である。おかあさんは脇役である。しかし、どうも作品の途中から、調子が狂ってくる。

おかあさんが急に弾んで、前に乗り出してくるのだ。ということは、この作品は子ども向きだけでなく、おかあさん読者も想定していたと考えることができる。特に病気や離婚でおとうさんがいなくなった家庭で、おかあさんが精一杯、子どものことを考えて行動するという創作モチーフがあったのだと思う。

このように考えると納得がいく。すなわち、石井の考える児童文学というのは、何も子ども読者だけを想定するのではなく、子どものみならず、子どもとかかわりを持つ大人の行動や考え・感じ方も考慮しつつ作品を展開していくというものであった。よって、この作品『三月ひなのつき』はミステリアスに筋を展開しながら、子ども読者だけでなく、大人読者も引っ張っていく、そのような力を持っている。

そして、さらに前に取り上げた作品『山のトムさん』であるが、この作品の末尾は、『三月ひなのつき』に似ている。クリスマスが近づき、みんなはお金を出して買わない「贈り物」をそれぞれ用意することにした。これは『三月ひなのつき』でおかあさんがよし子にひそかに用意したおひなさまと似ている。

『山のトムさん』の末尾は、次のとおり。

アキラさんがスキーをはいて外に出る。トムが喜んでついて行く。キジを見つけて二人は追いかける。アキラさんがキジをつかまえ、「キジとったァい！」と叫ぶ。「アキラちゃん、でかァした！」というおばさんたちの声が辺りに響き渡る。すると、バッ！と重い羽音《はおと》がして、キジはアキラさんの手を離れて飛び立った。「ばかッ！　にげられたッ！」という声がした。すると、今度はトムがとびあがって、キジをつかまえる。うわァという歓声と盛んな拍手が起った。「トムよ、でかした、でかした。」とみんなが喜ぶ。こうして、その夜、クリスマスのプレゼント交換が行われた。トムには、どんなプレゼントが贈られたのだろうか？

おかあさん、ハナおばさん、トシちゃん、アキラさんの四人からトムに送られたのは首輪であった。トシちゃんから首輪をつけてもらうとトムは、くるくるとまるくなって寝てしまう。このような終わり方は、『三月ひなのつき』の終わり方によく似ている。すなわち、おかあさんの用意したおひなさまに満足して、よし子は夢を見ながらいい気持ちで、すやすやと寝てしまうのだ。

11

今一つ述べたいことがある。それは『三月ひなのつき』の母親像である。おかあさんがよし子の最初の要求（三光ストアで見たおひなさまを買いたいという要求）を越えて、自分独特のイメージ（おひなさまに対する）をよし子に共鳴・共感させていくというのは、伝統的な日本人の感覚に合致しない。伝統的な日本人の母親像からすれば、どんなことがあろうとも娘の要求をかなえてあげようとして努力する。つまり、何とかお金を工面してよし子の最初の要求であった三光ストアのおひなさまを買いに行く。そして、よし子は大いに喜んで、話は終りとなる。だとするとその場合、話の山場はおかあさんがいかに努力し、かつ、工面して、三光ストアのおひなさまを買うかということになる。これは日本人読者に大いに受ける話になる。

しかし、石井が作り上げた母親像は、これと異なる。当時の感覚からすれば欧米的な母親像である。つまり、日本人の母親にはあまり見られない、珍しい母親像である。したがって、この作品を読んだ子ども読者も母親読者も驚いたと思う。「これは、ふつうのおかあさんではない。」「このおかあさんは、ずいぶん変わっている。」そう思った読者は多かっただろう。しかし、欧米の物語をよく読んだ人や、欧米で生活した日本人の母親はこのおかあさんの考えや行動に納得できたと思う。

本稿の前の部分でわたくしは次のように書いた。「おかあさんはよし子をしっかりと抱きかかえ、絶対に放しませんでした。これが、おかあさんの偉い所である。おかあさんも悩んでいたのです。そして、自分自身反省したのです。少し、言い過ぎた、そして、よし子の気持ちを汲み取ってあげなければと思った。よし子は泣き止《や》んでから二、三回、おかあさんの腕の中から脱け出そうとしたが、その度《たび》におかあさんにしっかりつかまえられた。」（前掲、7節を参照）

おかあさんは「少し、言い過ぎた」と思ったのと同時に、よし子を愛情豊かに導かなければと思ったのである。それが母親としての役割だと自覚したのである。

そして、その後の母の言葉と行動は、徐々によし子の心に浸透していった。

このような作品の道筋を見落としてはならないと、わたくしは強く思う。

注

（1）石井桃子『山のトムさん』（光文社　一九五七年十月初版）一九〇ページ。

（2）以下の引用は、石井桃子『山のトムさん』（福音館書店　一九六九年十月第三刷）一九八〜二〇一ページ。

（3）前出（2）『山のトムさん』一五〇〜一五二ページ。原文の平仮名は適宜、漢字に改めた。以下同様。

（4）この話の元になっているのは、一九四五年（昭和二十）宮城県の狩野ときわと共に鷺沢村に開墾移住した時の出来事である。石井はここで農業や牧畜の生活体験を行った。

（5）前出（2）『山のトムさん』一五四ページ。

（6）石井桃子『三月ひなのつき』（福音館書店　一九七一年十一月第十刷）十一ページ。

（7）前出（6）『三月ひなのつき』四一〜四二ページ。

（8）前出（6）『三月ひなのつき』五五〜五六ページ。

（9）前出（6）『三月ひなのつき』五六〜五七ページ。

（10）前出（6）『三月ひなのつき』七八〜七九ページ。
（11）前出（6）『三月ひなのつき』八三ページ。

参照テキスト

・『山のトムさん』……〈一〉光文社　一九五七年十月初版　〈二〉福音館書店　一九六八年七月初版＊一九六九年十月第三刷。
・『三月ひなのつき』……福音館書店　一九六三年十二月第一刷＊一九七一年十一月第十刷。

第三章　『おひとよしのりゅう』（石井桃子訳）論

1

ケネス・グレーアム作、石井桃子訳の『おひとよしのりゅう』（学習研究社　一九六六年二月）という本がある。この本をわたくしはまだ読んでいなかった。つい最近手にして読むことができた。この中には、「バーティくん大うかれ」という話が入っている。この話から、まず読んだ。なぜ、この話を最初に読んだのかというと、それには次のような事情があった。

『おひとよしのりゅう』には二つの作品が収められている。最初に出てくるのは本の題名になっている「おひとよしのりゅう」であり、次に出てくるのは「バーティくん大うかれ」である。後の作品「バーティくん大うかれ」は短い作品であり、前の作品「おひとよしのりゅう」は長い作品である。したがって、本のタイトルは長い作品の方を採って、つけた。だが、わたくしは「おひとよしのりゅう」は長い作品だから読むのを後回しにしようと思ったのではない。

「バーティくん大うかれ」は大変面白そうだから読みたいと思った。また、挿絵を見ても、「おひとよしのりゅう」は面白い作品とは思えなかった。

そこで、まず「バーティくん大うかれ」を読んだ（注1）。挿絵を見てもわかるように、これは動物中心の話であり、人間も出てくるが人間の登場は補助的である。ぶた、うさぎ、もぐらなどが登場し、大活躍する。そして、人間の登場はグレーアムさんとその息子アラステアなどである。

活躍する動物の中心人物はぶたのバーティくんである。そのバーティくんの周りにいる友だちがうさぎのピーターとベンジーである。時はクリスマスが近い冬であり、教会からクリスマスに歌う歌の練習音が聞こえてくる。バーティたちはグレーアムさんの農場の住人である。あちこち動き回るのが得意な活動家のバーティは、夜、グレーアムさんたちが寝静まると、「こいつは、たいくつだ。」「なにか、おっぱじめようじゃないか。」と豚小屋の囲いを跳び越え、ウサギのいる箱のところへ行く。「ピーター、ベンジー、起きろよ。」と呼びかけ、彼らを誘って村の住宅街に行く。ストーンさんの家の窓の下で歌を歌ったりする。

そして、物語の最後は、街の中から戻ってきた彼らは遊び疲れて、ぐっすり眠っている。朝、アラステアと彼の家庭教師のエス先生がうさぎ箱を見に行くと、ピーターとベンジーは「大の字になって、大いびきをかいて」眠っていた。それから、グレーアム家の作男《さくおとこ》のキングさんがぶた小屋に行くと、バーティもぐっすり寝込んでいた。ピーターとベンジー、それにバーティもクリスマス・キャロルの歌をむにゃむにゃ、うなっていた。

この話「バーティくん大うかれ」は、クリスマス向きの話であり、人間のみならず、動物たちもクリスマスに大はしゃぎしたいのだと、動物たちの気持ちを伝える物語である。しかし、日本人にはあまり馴染めないかもしれない。動物たちが大あばれ大はしゃぎする楽しい話は既に『たのしい川べ』で馴染みがある。しかし、これは短篇であるから、あまり感興が湧かない。そのような読後印象であった。

ところで、この話「バーティくん大うかれ」は原題は *Bertie's Escapade* である。原題のこの作品は **Kenneth Grahame** 作の *First Whisper of The Wind in the Willows* に収められている。「バーティくん大うかれ」はケネス・グレーアムの死後、奥さんのエルスペスが見つけたものである（注2）。そして、この「バーティくん大うかれ」と『たのしい川べ』を比べてみると、両者に似たものが見出される。

その一は、大うかれのバーティくんの役は『たのしい川べ』ではヒキガエルである。そして、第二に、バーティくんの周りにいるピーターとベンジーは、『たのしい川べ』ではアナグマとモグラである。「バーティくん大うかれ」ではモグラも出てくるが、役割は少なく、しかも、人間のような呼び名は付いていない。そして、大うかれするバーティくんはまさに、『たのしい川べ』のヒキガエルそっくりである（注3）。

しかし、この話「バーティくん大うかれ」だけでは、つまらない。面白い作品とは言えない。短篇にしても、印象は強く残らない。だから、グレーアムはこの作品「バーティくん大うかれ」を原型として、どんどん話をふくらましていった。そして、長篇の物語『たのしい川べ』が誕生したのである。

2

『おひとよしのりゅう』所収のもう一つの作品「おひとよしのりゅう」は長い作品であるが、大変興味深く、わくわくする。

まず、「おひとよしのりゅう」はこのような話である。

昔々、イギリスの田舎に羊飼いの親子が住んでいた。羊飼いを仕事にしている父には妻と息子がいた。ある晩、父親の羊飼いはガタガタ震えながら家に帰って来た。羊がそのそばを嫌う大きな穴があった。それで羊飼いの男はなぜ羊がその穴を嫌うのかと、穴の近くまで行った。するとと、穴から物音が聞こえた。重苦しいため息のような音に、鼻を鳴らす音が混じり、それから、時々大きないびきの音がした。そして、穴の近くを一回りしたら、その正体が分かった。しかし、父親にはその正体が化け物としか思えなかった。だが、たくさんの本を読み知識を豊富に持っている息子は、こう言った「父ちゃん、そんなもの、ただの龍じゃないか。」

こうして化け物の正体がわかったが、男の子は怖れもせず、洞穴に近づき、龍に会う。龍はおとなしい性格で、しかも、知識の豊富なインテリだった。龍は詩を作るのが好きで、よく十四行詩を作った。それを男の子に聞かせようとする。しかし、夜も更けて家に帰らなければならないので、男の子は詩を聞いていられないと断って家に帰る。

それから、男の子は父と母に龍のことを話し、父と母を龍に会わせる。こうして、羊飼いの一家は龍と親しくなる。但し、お母さんは龍が詩を作るのに夢中になって食事を忘れた時などは何か温かいものを作ってやるが、正式に龍と友だちになるのはごめんだと言った。なぜなら、相手は龍であり、いつどんなことが起るかわからないからだとのこと。

男の子は龍と一緒に芝草に坐り、何度か楽しい日々を過ごした。そして、龍は昔、この世の中にたくさんの龍がいてスリルや驚きがあり、生き生きとしていた、そういう時代の話をしてくれた。

ところが、いつの間にか、男の子の心配することが起った。それは村の居酒屋で丘の洞穴に龍がいるということが話題になったからである。この話は村中に広がった。「この恐るべきけだものは撲滅しなければならない」という声が広がった。そして、この「恐るべきけだもの」退治のためにセント・ジョージという騎士を呼ぶことになった。

村では賭け事も始まった。セント・ジョージが勝つか、龍が勝つかである。そして、ついに、村にセント・ジョージが馬に乗り槍を持ってやって来た。村中、大騒ぎになった。男の子はセント・ジョージの勇敢な姿を見ると、思わず知らず万歳を叫んだ。

しかし、男の子は龍の身の上が心配になり、龍に会いに行く。「もうすぐやって来るんだよ。そして、見たこともないような、長い、すごい槍を持ってるんだよ。」すると、龍が言う、「わしはその男には会わんよ。その男と知り合いになぞなりたくない。すぐ行ってしまうようにと、言ってくれ。」

しかし、いよいよ戦いの日になると、龍は猛烈に暴れ回る。これはどういうわけかというと、セント・ジョージと龍それぞれに男の子が個別に会いに行き、一つの案を作りだしたからである。その案というのは、まさに芝居、演劇である。セント・ジョージと龍は互いに猛烈に動き回って大暴れする。しかし、セント・ジョージは龍の急所を外《はず》して剣を刺すし、また、龍は倒れて「やられた」ふりをする。その後、村の人々は万歳を叫び、セント・ジョージが演説を行う。彼は「龍は心を入れ替えたから、もう悪いことはしない。」と話す。それから、大宴会が開かれる。

セント・ジョージの演説の一部は次のとおり。「龍はこれまでもしばらく、いろいろ考えてきたのだが、もうこれからは悪いことはしないで、近所の人が良くしてくれるなら、ここらに落ち着こうと考えている。だから、みんなは仲良くして、世の中のことを自分たちは何もわかっているんだと考えることのないようにな。お前たちはそんなに何もかもわかっているわけではないのだから。」村の人たちは反省したような気持ちで大きな拍手をした。

そして、大宴会にセント・ジョージはもちろん、龍と男の子も参加する。宴会が終わるとお客は龍にお祝いの言葉を述べて、散り散りに家に帰った。龍は疲れたのと、酒に酔ったのとで眠ってしまう。困った男の子はセント・ジョージに助けを求める。セント・ジョージが龍に言う。「これ、龍くん、この子が君を丘の洞穴に送って行こうと待っているんだ。」セント・ジョージがこう叫ぶと、龍は跳び起きる。そして、「坊や、手をかしてくれ、や、ジョージ殿、ありがとう。丘を上るときに、寄りかかる腕があるほど、うれしいことはないのでな。」と言う。

それから、末尾は次のとおり。

こうして、三人は、腕を組んで丘を上って行きました。

小さい村の灯りは、次々に消えていきました。そして、三人が、村の角を曲がり、闇に姿を消した時、古い歌が夜風にのって、きれぎれに聞こえてきました。三人のうち、誰が歌ったのか、それははっきりわかりません。しかし、わたしには、それはどうも龍のように思われました（注4）。

これを読むと、おひとよしの龍は何となく、チャーミングであり、酒好きで知恵者なのだと思う。

こういう物語であると、日本の場合、勇ましい武士が虎や、もしくは龍と戦ってそれを退治して終わるというストーリーである。しかし、この物語は騎士が龍と戦いつつ、友だちになるという話であり、予想外の展開である。それには龍と騎士との間に入る男の子の役割が大きい。男の子はどことなく、『くまのプーさん』のクリストファー・ロビンを彷彿とさせる。

この作品「おひとよしのりゅう」でプーに該当するのは、おひとよしの龍である。クリストファー・ロビンに該当するのは、男の子である。この二人を温かく支えているのが騎士である。そして、作品の所々にユーモアや遊びがある。龍が詩を作るのは、熊のプーと同じである。プーは語呂合わせの詩を作って悦に入るが、おひとよしの龍は十四行詩を作る。

3

ところで、石井桃子の作品『幻の朱い実』には、熊のプー、おひとよしの龍らしき人物の登場はない。それ故、何か物足らない感じがする。しかし、「おひとよしのりゅう」を読むと、『幻の朱い実』に出てくる由夫と恵理を思い浮かべる（注5）。『幻の朱い実』になぜ、もっと子ども姿、様相を出さなかったのだろうか。

そのような思いで「おひとよしのりゅう」を再読すると、この龍は元は丘の洞穴に住む年老いた龍であったが、洞穴を出て村の子どもと接しているうちに、どんどん若返り、いつしか騎士と戦うようなエネルギーを持つようになったのだと思う。そして、石井の作『幻の朱い実』を読むと、老年にさしかかった明子が孫の由夫と恵理に接しているうちに、再びエネルギーを獲得したのだ。だから、明子はもう過去のことだとあきらめていた昔の友人大津蕗子と佐野加代子のことを調べ始める。

わたくしはその昔、人は老いると昔のことは鮮明に思い出すと書いた（注6）。確かにそうであるが、その思い出を記録に残そうとして調べ始めたり、ノートに書き記したりするのは、何かのきっかけがないと作動しない。したがって、石井の場合も、そうである。

『幻の朱い実』で老年の明子が大津蕗子と佐野加代子のことを調べ始めたのは、そうして、そのような調べるエネルギーを明子に発現させたのは、子どもの力だと思う。

4

ところで、「おひとよしのりゅう」の原題は *The Reluctant Dragon* である。Reluctant を「おひとよし」と訳したのは石井の判断であるが、わたくしはこの判断は間違っていないと思うが、日本人の読者と英語圏の読者との違いを感じる。

日本語の「おひとよし」は通常、「気のいい人」であるが、時には、「まぬけなひと」や「だまされやすい人」の意味でも使われる。

しかし、原題にある Reluctant はそのような意味ではない。これは通常、次のような文で用いられる。

He was reluctant to answer.
This is a reluctant consent.

前者は「彼は答えるのをいやがった。」であるし、後者は「これはいやいやながらの承諾である。」、このような意味である。

したがって、Reluctant Dragon は直訳すれば、「いやがる龍」となる。

それを石井はこの作品のなかみを上手に読み取って、「おひとよしのりゅう」としたのである。

その違いは、訳し方の違いのみならず、作者の力点の置き方と訳者の読み方の違いがもとになっている。詳しく言うと、このようになる。

作者はこの作品の力点、つまり、龍のキャラクター（性格）の特徴を「いろんなことをいやがる」点に置いた。具体的に言うと例えば、龍が言う「わしはその男には会わんよ。（中略）その男と知り合いになぞなりたくない。（中略）すぐ行ってしまうようにと、言ってくれ。」という箇所（注7）である。そして、このような箇所は作品の中に、もっと多くある。

たとえば、次の箇所である。男の子が龍に会った初めの時、龍は男の子に次のことを言う。それを以下、引用する。

「わしが今、ここにこうしていられるというのも、ものぐさじゃったおかげだとわしは思う。ほれ、他の龍どもはみんな働き者で、仕事に熱心じゃった。そこで、年がら年中、暴れ回るやら、小突き合うやら、砂漠を駆け回るやら、そこら中へ騎士を追い回すやら、娘さんは、取って食うやら。――まあ、そんな調子でやりおったんじゃ。ところが、わしとくると、食事はきちんと時間にする。それから、そこらの岩に寄りかかって、しばらく、うたた寝。それから、目を覚ますと、世の中の様々な出来事に思いを馳せ、世の中では、よくもこう、出来事が飽きずに繰り返し起るものよ、というようなことを考えるのが好きなんじゃ。（後略）」（注8）。

ここには確かに、龍の「ものぐさな」性格がよく出ている。いわば、日本『御伽草子』「ものぐさ太郎」のキャラによく似ている。この龍という怪物にしては異質な性格を、作者ケネス・グレーアムは作品の特徴として打ち出そうとしたのである。

しかし、訳者の石井はそれよりももっと別のキャラを打ち出そうとした。それが龍のこのような面である。

龍は、男の子に話しかけました。「わしは、ここで、死ぬほど退屈な思いをしているんじゃよ。誰も、本気でわしをかまってはくれぬ。わしは、わしのために、大変な骨を折ってくださる、この親切なお方の御助けを得て、世の中のお付き合いの場に出て行くぞ。出て行くとも、わしだとて、わしと心安くしてくださる方々の、お気にいるほどのものは、持ち合わせとるんじゃ。さて、これで何もかも決まったと。それで、もしこれ以上、ご用がなければだ。——わしは、昔風の生き物なんでな——君たちを追い立てるわけじゃないが——。」（注9）

ここに見られる龍の「おひとよし」の面、それを石井は強調したかった。それ故、龍の「ものぐさな」面よりも「おひとよし」の面を採った。翻訳の題名が「おひとよしのりゅう」になった経緯である。

5

ところで、もう一つ加えておきたいことがある。それは本稿の1で取り上げた *First Whisper of The Wind in the Willows*（拙訳『〈たのしい川べ〉の最初のささやき』）についてである。これは一九七三年、イギリスのメスエン社が出した再版本である。この本に、*Bertie's Escapade*（石井訳「バーティくん大うかれ」）というケネス・グレーアムの作品が入っている。この作品をわたくしはもう一度、原文（英語版）で読んでみた。そして、気づいたことがあるので、そのことについて書く。

Bertie's Escapade の始まりは次のとおりである。

It was eleven o'clock on a winter's night. The fields, the hedges, the trees, were white with snow. From over Quarry Woods floated the sound of Marlow bells, practising for Christmas. In the paddock the only black spot visible was Bertie's sty, and the only thing blacker than the sty was Bertie himself, sitting in the front courtyard and yawning. In Mayfield windows the lights were out, and the whole house was sunk in slumber.

'This is very slow,' yawned Bertie. 'Why shouldn't I do something?'

Bertie was a pig of action. 'Deeds, not grunts,' was his motto. Retreating as far back as he could, he took a sharp run, gave a mighty jump, and cleared his palings.

'The rabbits shall come too,' he said. 'Do them good.'

He went to the rabbit-hutch, and unfastened the door.

'Peter! Benjie!' he called. 'Wake up!'

この英文をわたくしは訳してみた。それは以下のとおり。

　それは冬の夜の十一時であった。畑、垣根、木々は雪で真っ白であった。向うの森から、クリスマスのための練習をしているマーロウの鐘の音が聞こえてきた。農場の囲いの中で、唯一、黒く見えるのはバーティのいる場所（ぶた小屋）であり、その場所よりももっと黒いのがバーティ自身であった。バーティは小屋の前の方に坐り、あくびをしていた。メイフィールドの灯りは消えて、家全体が静かに寝静まっていた。

「これじゃ、つまらないなあ。」とバーティはつぶやいた。「何かやってみようじゃないか。」

　バーティは行動好きのブタだった。「ぶうぶう言うな。行動しろ。」それが彼のモットー（信条）だった。彼はできるだけ後ろへ下がると、さっさと走り出し、大きくジャンプして、小屋の柵を跳び越えた。

「ウサギたちも、連れて行こう。」と彼は言った。「彼らにはいいことになるさ。」

　彼はウサギ小屋に行った。そして、戸を開けた。

「ピーター、ベンジー」彼は叫んだ。「起きろ！」

この訳は石井の訳とほぼ同じである。ただ、マーロウやメイフィールドという固有名詞は石井の訳本には出てこない（注10）。これらの固有名詞を石井は訳していないのである。これらを訳本に入れた場合、読者には何のことかわからず、読みが混乱するからである。石井は読者のことを考え、読者にわかるように訳しているのである。

翻訳は原文に忠実に訳すべしという標語もある。しかし、日本人の一般的な読者のことを考え、また、子どもの本であれば子ども読者のことを考え、子ども読者にわかるように訳すというのが当然である。

この当然のことを、わたくしは *Bertie's Escapade* の訳を試みて体験した。

翻訳書については、この部分は誤訳だとか、これは原文に忠実でないとかいろいろ文句を言う人がいる。しかし、それはいわゆる「揚げ足取り」である。作品全体を何回も読み、いろいろと言葉を選び、読者にわかるように訳すというこの仕事の偉大さにまず、頭を下げるべきであろう。

注

（1）作品「バーティくん大うかれ」。ケネス・グレーアム作、石井桃子訳『おひとよしのりゅう』（学習研究

社　一九六六年二月）所収。

（2）拙著『石井桃子論ほか』（てらいんく　二〇二〇年一月）六四～六五ページ参照。

（3）グレーアム作『たのしい川べ』についてのわたくしの論考については、前出（2）『石井桃子論ほか』三九～八三ページ参照。

（4）前出（1）『おひとよしのりゅう』一一六～一一八ページ。但し、原文の平仮名は適宜、漢字に改めた。以下同様。

（5）石井桃子『幻の朱い実　下』（岩波書店　一九九四年三月）三一四～三一五ページを参照。

（6）前出（2）『石井桃子論ほか』「あとがき」参照。

（7）前出（1）『おひとよしのりゅう』五四ページ。

（8）前出（1）『おひとよしのりゅう』二八～二九ページ。

（9）前出（1）『おひとよしのりゅう』八〇～八二ページ。

（10）前出（1）『おひとよしのりゅう』所収「バーティくん大うかれ」より石井訳を次に示す。

冬の夜の十一時です。畑も、いけがきも、木も、雪でまっ白でした。ずっとむこうの森をこえて、クリスマスの歌をれんしゅうしている教会のベルの音が、きこえてきます。グレーアムさんの農場の、家畜の運動場のかこいの中で、ただひとつ、まっ黒く見えるのは、ぶたのバーティの小屋でした。そして、その小屋よりも、黒く、ぽつんと見えるのは、ぶた小屋の主人、バーティのすがたでした。バーティは、小屋のまえにすわって、あくびをしているところです。

グレーアムさんの家のまどのあかりは、ぜんぶきえて、家じゅう、ひっそりとねしずまっていました。「こいつは、たいくつだ。」と、バーティはいいました。「ひとつ、なにか、おっぱじめようじゃないか。」

バーティというぶたは、活動家だったのです。

『ぶうぶういうな、まずうごけ。』

これが、バーティのモットーでした。

バーティは、できるだけうしろまでさがると、さっとかけだし、大きくジャンプして、ぶた小屋のかこいをとびこえました。

「うさぎたちも、つれていこう。やつらには、くすりになるよ。」バーティはいいました。

そこで、うさぎばこのところにいき、戸をあけました。

「ピーター！　ベンジー！　おきろよ！」と、バーティは、大声でいいました。

（＊一二〇～一二二ページ）

附記

・単行本『おひとよしのりゅう』所収の作品「おひとよしのりゅう」の英語原典は、Kenneth Grahame の大人読者対象のエッセイ集 *Dream Days* に収められており、作品「バーティくん大うかれ」の英語原典は本稿で言及した Kenneth Grahame 作の *First Whisper of The Wind in the Willows* に収められている。石井桃子はこの二冊の本から日本語訳を行ったと考えることができる。

第四章　『幻の朱い実』（石井桃子）論

1

この本『幻の朱い実』の大半は、大津蕗子《ふきこ》という女性を中心に書かれている。したがって、この作品は蕗子、通称「ふうちゃん」の物語である。作者の石井桃子はこのふうちゃんについて書きたかったのである。どうしてもこの人のことを書いておきたいという思いが強かった。しかし、それを実名入りのノンフィクションで書くわけにいかなかった。それ故、仮名を使ってフィクションで書いた。石井には『ノンちゃん　雲に乗る』という著名な作品がある。ノンちゃんとふうちゃんは違う。

ふうちゃんというと、有名なのは灰谷健次郎の作品『太陽の子』の主人公である。ふうちゃんは小学生の少女である。「てだのふあ・おきなわ亭」という沖縄料理店の娘さんである。てだのふあは沖縄方言で「太陽の子」という意味である。作品『太陽の子』は沖縄の人々の暮らしや戦争について考えを深めていく作品である。

このように見てくると、主人公が行動し活躍する時代と場所は離れているが、作品のどこかに似たところがあるように見える。もちろん、この論考ではそのような詳しい比較考察はできない。しかし、『幻の朱い実』を読み始めた読者の中には、ふうちゃんという親しみのある呼び名に出会って、灰谷の『太陽の子』を連想した読者がいたかもしれない。また、ふうちゃんという名に接して灰谷の『太陽の子』を再読した人がいるかもしれない。

2

今、世の中には自分史というのが流行《はや》っている。石井もある年齢を過ぎてから自分史を書こうと思ったかもしれない。しかし、彼女は自分を主人公にした自伝を書くのは嫌いだった。また、他人に自分の評伝を書かせるなんて考えなかった。自分はあくまでも編集者であるから他人のことはよく書くが自分のことを書くのは一切お断りと、固く心に決めていただろう。

しかし、ある年齢を過ぎてから少し考えが変わった。どこかの編集者がインタビューに来た時、少し昔のことを話した。年をとると、昔のことを鮮明に思い出すからである。昨日今日のことよりも昔のことの方が楽しく切実に思えたのである。

石井はある時、ふと考えた。アンデルセンも自伝を書いた、わたくしも少し自伝を書いてみよう。それから、石井は筆を執《と》った。しかし、書き始めると、あるところで行き詰った。どうしても自分中心には書けない。そこで、しばらく筆を置いて考えた。

そうだ！　女子大学の先輩たちだ、あの人たちのことを書いてみよう。それから石井は資料を集め始めた。文章や写真を集め、それから、知人への聞き書きを始めた。

以上が、わたくしの想像した『幻の朱い実』執筆の動機と様子である。

3

石井が作品の焦点にした人物は先輩大津藤子だった。しかし、いきなり大津について書くわけにいかなかった。ふうちゃん（大津藤子の愛称）が登場する前にまず、自分の分身を登場させよう。そうして、村井明子を登場させた。明子は埼玉県浦和生まれの女子学生である。

明子がふうちゃん（大津藤子）に出会う場面は、次のとおりである。

（前略）九月に、またアパートにおちついてからは、画の夜学に通うという名目をつくって、自然に彼らから遠ざかった。彼らに捕《つか》まりそうな日曜日には、早く午前の洗濯、掃除をすますと、そのころ起きだす志摩子の部屋をのぞいて挨拶する手をおぼえ、午後はスケッチ散歩と称して、ひとり東京の郊外を出歩くようになった。そして、十月のあの日、朱《あか》い烏《からす》瓜《うり》の実の下で、蕗子に出会った（注1）。

ところで、作品『幻の朱い実』はいきなり、ここから始まるのではない。それ故、村井明子のここ迄の様子を以下、述べておく。

明子は幼いころに父を亡くし、また、女子大卒業後、間もなく母を亡くした。母は脳梗塞で倒れたが、その時、まだ意識があり、明子にタンス貯金のことを告げた。兄たちはそれを知らなかった。母が亡くなり、兄や嫂たちとも仲良く暮らしていけないと悟った明子は家を出て、アパート暮らしを始める。

明子は東京の世界婦人協会事務所に勤めつつ、都内の女性専用のアパートで暮らす。そして、ある日、「東京の郊外」（今では郊外と言えないが、当時は郊外と言っていた）荻窪辺の細道に、和洋折衷の住まいを見つけた。その住まいにはたくさんの烏瓜の実が付いていた。この住まいの住人が大津蕗子だった。

そして、蕗子と親しくなった明子はよく、蕗子の家を訪れた。ある日、蕗子の家で蕗子と明子が話をしていると、「眉のきれいな」小柄な女性が和服でやって来た。蕗子が明子に言う、「このひとね、あたしの同級生。佐野加代子。」そして、加代子は椅子に腰を下ろすとすぐ、袂から巻煙草の箱を出して煙草を吸い始めた。

わたくしはこの作品『幻の朱い実』上巻を読み始めた時、この佐野加代子がどうなるのだろうと気がかりであった。しかし、作品を読み進めても、この人物はなかなか出てこない。加代子の登場はもうこれで終わりなのだろうと思った。すなわち、上巻での登場で終わりなのだろうと思ったのである。

4

『幻の朱い実』下巻所収の第二部末尾で大津蕗子が亡くなる。蕗子の病状の進行と同時併行で、明子の叔父の病状が記されている。明子の友人蕗子と、明子の叔父、この両者がどこまで生きられるか、切羽詰まった描写が続く。病気との長い戦いである。けっきょく、蕗子は亡くなり、叔父は生き延びる。

蕗子の臨終の状況は手紙で知るだけであり、明子はその状況をこの目で見ることはできなかった。いっぽう、叔父の病状や肉親による看病、医師の対応など、これらは明子には目の前に起こる出来事であった。

そして、蕗子の臨終の状況を早く知ったのは、あの加代子だった。加代子は明子に電話でそれを伝えた。

「(前略)あのね、ゆうべも、雅男さん(*加代子の夫)とちょっと見にいったの。そのときは、わりにいい顔してってね、二、三日でどうこうなるなんて夢にも考えられなかった。そして、帰るとき、玄関まで出てから、またちょっともうひと言話したくなって、病室へもどったの。そしたら、看護婦さんがそばに立ってて……便器入れてたんじゃないかな? ……あのひと、あたしを見て首ふったから、帰ってきたの。そしたら、今朝早く……」ここで、加代子は咽喉《のど》をつまらせた。「おばさんから電話だったの。おばさん、ゆうべ、あたしたちと入れちがいにはいったのね。ほんとに誰もが、ちょっと目をはなしたすきだったんですって。ふうちゃん自身も、思わず知らず、ふうっと眠るようにいったんだろうって、おばさんいうのよ。」

話の途中から、涙が滂沱《ぼうだ》として明子の目からくだっていた(注2)。

これを聞いた明子はその夜、夫の節夫《みさお》と共に、病院の霊安室に行った。大津蕗子のお通夜である。

その時、明子は既に節夫と結婚し、相良《さがら》という姓になっていた。明子は節夫との子を身ごもっていた。

また、この引用箇所に登場する「おばさん」は、蕗子の元の住まい（朱い烏瓜のある家）の近くに住んでいた蕗子の親戚のおばさんである。

5

『幻の朱い実』の第三部は下巻全体の半分以下の枚数であり、この作品の大人物蕗子の死後のことである。物語の中心は明子とその家族のことであり、節夫が亡くなり明子は七十をとっくに過ぎて八十歳に近くなっている。老年になりつつある明子は相変わらず、翻訳の仕事を行いつつ、昔のことを調べている。調べごとの中心は大津蕗子のことである。蕗子にはたして子どもが宿ったのであろうかという疑問がわく。

そして、明子はいろいろなメモを作り、時間軸をもとにした関係年表を作ったりする。ある時、昔の仲間であった亘利《わたり》吾郎から電話がかかってきて、明子は吾郎のいるホテルに会いに行く。

吾郎はその昔、画家志望の青年であり、大津蕗子と一時、恋人同士であった。そして、蕗子と同級生であった佐野加代子は煙草を吸う粋な女子学生であり、美術畑の雑誌記者である雅男と付き合っていた。吾郎と蕗子、雅男と加代子、この二組のカップルは当時の明子にとって、実にうらやましい先輩カップルだった。

ところで、蕗子はある時から会社を辞めて宅で執筆を続けたくなった。しかし、家には人の訪問が絶えることなく、彼女は悩んでいた。また、蕗子は病身であり、吾郎との付き合いも疎遠になる。明子はそのような蕗子に、体をいたわりながら執筆を続けられるようにと策を練った。明子は自分の貯金を崩して、漁村に一軒の家を借りることにした。暑い都会を離れるから、避暑のつもりもあった。その漁村は宇原（＊モデルとなった場所は千葉県の鵜原）である。

蕗子と明子は宇原で約一ヶ月を過ごした。しかし、いつの日か二人の間に溝ができる。それは相良節夫《さがらみさお》の出現である。節夫は明子の兄の友だちであり、それほど大きくはない貿易会社の息子だった。そして、ある日、節夫が宇原にやって来る。明子は節夫と急速に親しくなり、彼と結婚する。

明子は結婚後、自宅で翻訳の仕事をしている。いっぽう、一人になった蕗子は病状が深まり、練馬の療養所に入る。明子は時々、蕗子を見舞うが、節夫の後見人である叔父が病気になり叔父の看病に従事する。叔父には叔母（＊叔父の奥さん）やその他多くの近親者がいるが、明子は叔父の看病を彼らだけにまかせて、蕗子のところへ行くことはできない。そんな状況の中、明子は節夫の子を身ごもる。

そして、既に述べたように、大津蕗子は練馬の療養所で亡くなる。

ここ迄が上巻（第一部）と下巻前半部（第二部）である。

6

下巻後半部（第三部）は、ずいぶんあっさりしている。太平洋戦争をはるかに超えて一九八〇年頃であろうか。明子の夫である節夫は既に亡くなっている。そして、大津蕗子が死との戦いを続けているとき、同時に死との戦いを続けていた叔父（＊節夫の叔父）も亡くなったであろうが、叔父のことについての記述がない。作者は大津蕗子の身の上のことに必死であったから、叔父のことは亡失したのである。また、明子が自分の夫である節夫の死についても殆んど言及がない。これは、読者としてはがっかりする。明子はどうしてこれらのことにふれないのだろうと不審に思う。

しかし、読みの観点を変えれば、第三部は第一部第二部より、ずっと面白い。なぜだろう。それは時代が現代に近づいているから、親近感がわく。そして、さらに言うと、明子の子どもや孫の登場がとても親近感を持って読めるからである。しかし、作者の力点はそこにはない。第一部第二部の続きとして、大津蕗子死後のそれからを書くというのが作者の狙いだった。だが、読者としてのわたくしの願いは、それとは異なる。作者の主眼は大津蕗子のことをさらに深く掘り下げて書くということであっただろうが、わたくしにはそれよりも作者がその周辺に設定した、明子の子どもや孫のことをたくさん書いてくれた方が楽しかったと思う。

7

『幻の朱い実』第三部は、ある時、昔の友だち亘利《わたり》吾郎から呼び出しの電話がかかってくるところから物語が展開する。明子は七十歳半ばを越えた老婦人である。吾郎は八十歳に近い年齢である。私立高等学校の校長をしていて、校長会の会議で上京したという。「話したいことがある。」というので、明子は吾郎のいるホテルに行き、そこで思いがけない話を聞く。それは蕗子が自分（吾郎）の子を堕胎したということであり、明子はびっくりする。派手で活発なように見えた蕗子であるが、まさかと思う。そして、明子は蕗子の年表を作り始める。

それから、明子は加代子と連絡を取り、昔の資料を集める。加代子は蕗子の作品の載った雑誌『麗和文学』のコピーを送ってきた。それを読んでいるうちに明子は自分が節夫と「電光石火の速さ」で婚約したのは、蕗子に途中から嫌悪感を感じ出したから節夫に近づいて行ったのだと悟る。

明子は長女の葉子の一家と共に夏を軽井沢で過ごす。軽井沢の町の中をいろいろ歩くと、昔のことを思いだす。

> 九月にはいったばかりのある夕、明子は、節夫がすきで、二人でよく散歩した林道にはいってみた。（中略）明子は道端の花を、もうお別れなんだから勘弁してもらおうと、一本、また一本と摘みはじめた。（中略）
>
> はっと思ったのと、はるか後方から、「ヤッホウ！」という声がかかったのと同時だった。いそぎ振りむき、目をこらすと、少し胴体のふくらみかけた中年の男と、小《こ》きみよく腰のしまった若い男が並んで立っていた。慎介と由夫であった。由夫は合図に懐中電灯を

つけて円を描いて見せた。

彼女はいそいでもどりはじめた。向うもゆっくり近づいてきた。

「ああ、帰ってきたの？　恵理もいっしょ？」声がとどくところに来ると、明子はかぼそい声をはりあげた。

「うん！　おばあちゃん、いつまでうろついてる気？　赤ずきんになっちゃうよ。」

「ほんと。なりかけてたわ。さがしたの？　ごめんなさい。」と、明子は詫びた。

「いいや、由夫が、感心にね、おばあちゃん、きっとあの道だって、まっすぐここへ来たんですよ。」

由夫が小学校低学年の頃、まだ会社にいっていた節夫は、週末に山へくれば、必ず明子と三人でここへやってきた。ここに来てやっと孫息子を独占でき、祖父と孫とは、芝生の土俵で飽きずに組んずほぐれつの相撲をとった。彼女は道端に坐って、大笑いしてそれを見物した。遠い昔見た映画のシーンのように思いだされた（注3）。

ここに登場する慎介と由夫、恵理は明子の娘葉子の家族である。慎介は葉子の夫であり、由夫と恵理は慎介・葉子夫婦の子どもである。由夫と恵理は明子にとって、孫になる。

おばあちゃんになった明子は彼らと一緒に行動しながら、亡き夫節夫を思い出したりする。

年取った明子の心理がうまく描かれている。なお、明子には葉子の他に、和夫という長男もいる。だが、作品の中に、和夫のことはあまり書かれていない。明子は夫の節夫が亡くなってからは、葉子の一家と暮らしている日々が多い。

ところで、明子は避暑地で、前掲のようなのどかな日々を由夫たちと過ごした後、都会に戻る。すると、再び調べ物に専念し、没頭する。そして以前、吾郎が明子に話した蕗子のことに関する出来事の真偽を確かめようとして、加代子と会うことになる。

加代子は夫の雅男を亡くし、一人で暮らしている。明子は加代子と何度か会い、葉子の車で加代子を誘い、湯河原へ行ったりする。そのうち、加代子は病気を発症する。やせっぽちの加代子はどんどん小さくなる。そして、認知症のきざしが現れる。加代子は病院を変えさせられ、入退院を繰り返す。姪の七重さんが付き添う。加代子の新しい看護師に南さんという男性がつく。南さんはとてもよく気が付いて加代子を看護してくれる。山へ行った明子は病院の加代子に、せっせと押し花を送る。

ある時、明子が病院に加代子を見舞いに行くと、加代子は言った、「ふうちゃんは大正デモクラシーのなかで育ったのよ。（中略）もしもふうちゃんが生きのびていたら、いい物書いたと思う。生きててほしかったなあと思う！」そして、加代子はおかしそうな口もとで、はっきりと言った、「あのひと、技巧家なのよ。」「あなたは、まっすぐ育ったからわからないかもしれない。あなたがあんまりまともだから、ふうちゃん、あなたに妙なことできなかったと思う。あのひと、とても偽悪家的なところがあるのよ。それが一ばん強烈に出たのが吾郎さんにたいしてだったんじゃないかしら。だから、あまり吾郎さんの見た彼女にふりまわされると、彼女を見まちがうことになると思うのよ。(後略)」こうして吾郎が明子に話した蕗子のことは一件落着した。

また、加代子はこんなことも言った、「ふうちゃん、生かしておきたかったなあ……もっともっと自然に生きられたのに。」

その後、加代子の息子尚から加代子が再び倒れたと明子に電話がかかってきた。尚は新聞記者であり、嫁は真子《まこ》という。加代子は節夫と同じく、癌であるらしい。明子はこんなことを考える。「ひとの命は、早くばたっと逝《い》ってしまう場合と、最後まで頑張る場合があるらしい。加代子は頑張る方の型らしい。」

加代子は広尾の日赤病院から団地近くの旭病院へ移った。痩せ細って能面のような顔になった加代子を見て明子はびっくりする。明子が見舞に行くと、加代子の鼻孔に管がさしこまれていた。それから、しばらくして加代子の死の知らせが電話で届いた。

先輩の蕗子、そして、加代子を失った明子は新宿御苑に行って、朱い烏瓜の実を見る。その日は加代子の葬儀の日である。

その日の様子を作者は次のように記している。

加代子の家では、まだ時間が早く、ごく近しい、親しいひとだけが花の手入れなどをしているところであった。明子は焼香だけさせてもらい、早々に辞して、遠い道を新宿御苑までゆられてもどった。御苑ではほんの少し色づきはじめた木々も美しかったが、明子が目ざしたのは朱い烏瓜の実であった。駐車場周囲で、すぐ目についたのが、小粒の黄烏瓜だった。

「こういうんでないのよ。」と、明子はいった。

目のいい葉子に助けてもらって散々歩きまわり、あきらめて帰りかけたとき、出口に近い日陰の場所に、十つぶほどのあわれな実が、しなびた蔓からさがっていた。

「これのことかしら……」茫然として何秒か見つめていてから、明子はあっさり葉子にいった。

「もういい。ここの道、歩きにくく、足が痛くなった。」そして、みょうに気がすんだ気持になって歩きだしながら、彼女は自分がちょっと激しているのがわかった。「葉子、大津さんの烏瓜ね、この千倍も、万倍も美しかった！　千倍も万倍も！　こんなもんじゃないのよ。あなたに見せたかった、そういうものも、この世にあるんだってこと！」

葉子は、母の腕をとっていた手に力をこめ、しばらく無言でいてから、

「ママ、いい友だちなくしたママの気持、わかるつもりよ。あたしたちには、もうそういう友だちはつくれない。でもね……。パパやあたしたちのことも忘れないで。」

「何いってんの。忘れようったって、忘れられないじゃないの？　いつもあなたが、こうしてあたしをひきたてるようにして歩いてるんだもの。」

母と娘は低く笑うようにして、道がラッシュにならないうちにと駐車場にいそいだ（注4）。

「いい友だちなくしたママの気持、わかるつもりよ。」という葉子の言葉が明子に降りかかる。そして、「パパやあたしたちのことも忘れないで。」という言葉は葉子の言葉であるが、作者の自己批判でもある。

作者石井がこれほどエネルギーを駆使してかつての友人たちのことを書いたのは確かにすばらしい仕事であるが、はたして読者はどんな気持ちでこれを読んでくれるだろうか、とても気がかりである。

作者はできるだけ筆をおさえて、冷静に書こうとした。しかし、書いている途中、どうしても自分の心が揺れて感情移入してしまう。だから、この作品を書くことは石井には、とても難

しい仕事であった。

石井の敬愛する作家のひとり、A・A・ミルン（Alan Alexander Milne　一八八二〜一九五六）は自分をひけらかすことをしない人だった。その生き方はまるで息を殺したかのように静かにしている人だった。そして、他人に自分の考えや心情を強要することを嫌った。更に言うと、ミルンは子どもたちについて書くのをやめた時でも、かつて子どもであった人たちについて書き続けた。ミルンにとって子どもという存在は「強い執念」になっていた。だが、それでもミルンは自伝を書いた。

こうしたミルンの生き方や信条を思いながら、石井は作品『幻の朱い実』を書くとき、相当の決意をしたと思う。

石井はかつて『ノンちゃん　雲に乗る』という作品を書いた。これは見方によれば、石井の自伝作品である。石井はこの作品で少女時代へのこだわりを示した。また、『幼《おさな》ものがたり』で幼年時代へのこだわりを示した。そして、『幻の朱い実』で青年期の学生時代から成人期への生活を綴り、さらに学生時代からの友人のその後のことを綴った。これで生涯に関する自伝は終結した。これらの作品について、どんなことを言われようともかまわない。石井にとって、不退転の決意である。

かつての名著『子どもの図書館』に見られる子どもの生態観察は実にみごとである。『幻の朱い実』後半の箇所（第三部）で子どもの登場に魅力があるのは、『子どもの図書館』の流れを受け継いだかのようである。葉子の子ども、由夫と恵理の登場は読者にとって、心のオアシスのように感じる。

注

（1）石井桃子『幻の朱い実　上』（岩波書店　一九九四年二月）八〇ページ。
（2）石井桃子『幻の朱い実　下』（岩波書店　一九九四年三月）二三九ページ。
（3）前出（2）『幻の朱い実　下』三一四～三一五ページ。
（4）前出（2）『幻の朱い実　下』三六一～三六二ページ。

参考文献

・石井桃子『幻の朱い実　上』（岩波書店　一九九四年二月）
・石井桃子『幻の朱い実　下』（岩波書店　一九九四年三月）
・石井桃子『ノンちゃん　雲に乗る』（福音館書店　一九六七年一月初版）
・灰谷健次郎『太陽の子』（理論社　一九七九年二月＊第九刷）
・アンデルセン著、大畑末吉訳『アンデルセン自伝』（岩波書店＊岩波文庫　一九四九年四月＊第六刷）

・A・A・ミルン著、原昌・梅沢時子訳『ぼくたちは幸福だった』（研究社　一九七五年）
・A・A・ミルン著、石井桃子訳『今からでは遅すぎる』（岩波書店　二〇〇三年十二月）
・クリストファー・ミルン著、石井桃子訳『クマのプーさんと魔法の森』（岩波書店　一九七七年十二月）
・石井桃子『幼《おさな》ものがたり』（福音館書店＊福音館文庫　二〇〇二年六月初版）
・石井桃子『子どもの図書館』（岩波書店＊岩波新書　一九六五年五月＊第一刷）

第五章　三人の絵本作家　――中谷千代子・赤羽末吉・林明子――

1

わたくしの敬愛する絵本作家三人について述べることにする。彼らは絵本作家であるが、たいていは他者の作品に絵を添えるという仕事が多い。したがって、自らストーリーを執筆し、かつ、絵も描くというのは珍しい。しかし、時には彼らが自らストーリーを書いて絵も描くということがある。わたくしはそのことに注目して、この文章を書く気持になった。

2

中谷千代子は一九三〇年（昭和五）一月の生まれである。一九五二年（昭和二十七）、東京美術学校（現在、東京芸術大学）油絵科を卒業。『ジオジオのかんむり』（福音館書店）で出発し、代表作は『かばくん』『もりのまつり』等。

なお、中谷は次のことを述べている。

最近、亀をテーマに絵本を作りました。二月頃には出版される予定です。甥が亀を飼っていて、その亀はバケツの中で土をかぶり、冬ごもりをするのです。春になって土から出てくる亀を、目のあたりに見て改めて動物の生態の不思議さを感じたりしました。それをきっかけにお話を作り絵の方は線版とジンク版を使ってみたのですが、その効果がどのように出るか気になっています。

これは『月刊絵本』（すばる書房）昭和五十三年（一九七八）二月号に載った文章である。この文章を手がかりにして探した本が『かめさんのさんぽ』（福音館書店　一九七八年三月第一刷）であった。絵はもちろん、文章も中谷千代子である。

絵本の表紙は、男の子が犬の頭を触って、撫でている。そして、その後ろには花がいっぱい咲いている花壇がある。薄桃色のとても明るい感じである。半ズボン姿の少年（ケンちゃん）が前にかがみこんで犬の頭を撫でているが、そのけんちゃんと犬との間に小さな亀がひょろひょろと歩いている。この小さな亀が主人公なのかと、びっくりした。

3

『かめさんのさんぽ』の冒頭は次のとおり。

春が来ました。冬の間、バケツの土の中で眠っていた亀さんが、出てきました。ケンちゃんはバケツの土を捨てて、少し水を入れました。それから、小魚をやりました。犬のコロも、「ワン」と吠えました。（＊原文の平仮名は適宜、漢字に改めた。以下同様）

夜になりました。亀さんがバケツの中を歩き回っていると、コロがやって来ました。コロがバケツに足をかけたり、走り回ったりしているうちに、バケツがひっくり返って、亀さんが転がり出ました。亀さんは頭も足も引っ込めてしまいました。

続きは次のとおり。

コロは前足を甲羅の上にのせてみたり、転がしたりしました。亀さんはじっと、息をひそめています。

亀さんはなかなか頭を出しません。

コロは離れて見ています。亀さんは後ろ足をそっと出してみました。前足も出してみました。それから、頭を出しました。亀さんはのそのそ、砂場の方へ歩き出しました。

砂場には、ケンちゃんが昼間つくった砂山があります。亀さんは短い足をいっぱいにのばして、登り始めました。やっとてっぺんにたどりついた途端、目の前にコロの鼻がにゅっと出ました。亀さんはまあるくなって、ころころ転がり落ちました。

砂山のてっぺんから転がり落ちた亀さんはどこへ行くのだろうか。犬のコロはじっと亀さんを見つめている。

亀さんは砂場の近くの池に入って泳ぐ。池は亀さんの大好きな場所である。コロは池に入られず、うらめしそうに亀さんが楽しく泳ぐのを見ている。

亀さんは池の中で金魚たちと話をする。金魚たちは言う、「お久しぶり亀さん。いつ、土の中から出て来たの?」「きょう、出て来たばかりだよ。」亀さんは嬉しそうに答えた。

その後、しばらくしてから亀さんは池から陸へ上がった。そして、花壇の中へ入る。

花壇にはモンシロチョウとテントウムシが寝ていた。そして、草のしげみから蛙が現れた。

亀さんは蛙と会話をする。蛙から「いつ、土の中から出て来たの？」と問われると、亀さんは「きょう、出て来たばかりだよ。」と答える。また、蛙から「今ごろ、ここで何しているの？」と問われると、亀さんは「夜の散歩さ。」と答えた。

それから、亀さんは夜の散歩を続ける。すると、暗がりの中から、突然ある者がとびかかって来た。何者だ！　亀さんはびっくりして甲羅の中にちぢこまった。

その続きは次のとおり。

一匹のネズミは、亀さんの甲羅の上で跳びはねました。もう一匹のネズミは、甲羅の端《はし》にかみつきました。亀さんは、こわくてぶるぶるふるえています。

亀さんのピンチである。はたして、亀さんはどうなるのだろうか。読者の皆さんはひやひや、びくびくしてしまう。

その時、救世主が現れる。救世主はいったい、誰だろうか？

ケンちゃんかな？　それとも、コロだろうか？

4

『かめさんのさんぽ』の末尾は次のとおりである。

ケンちゃんが起きてきました。コロは犬小屋で眠っています。バケツがひっくり返っています。亀さんがいません。「コロ、亀さんどうしたの？」ケンちゃんはコロといっしょに、亀さんを探しました。花壇の中を探しました。池の中ものぞいてみました。コロが砂場で吠えています。ケンちゃんは走っていきました。「あっ、いた。こんなところにいた。」ケンちゃんは亀さんをバケツの中へ戻してやりました。

亀さんはとても眠くなりました。

亀さんは二匹のネズミに襲われたのに、どうして助かったのだろうか。

それは、ネズミの匂い・動きに気付いたコロが跳んでやって来たからである。ネズミたちは亀さんを放り出して逃げて行った。コロはネズミたちを追いかけた。その後、亀さんは恐る恐る首を出し一晩中、庭を散歩していたのである。だから、朝になってコロとケンちゃんに見つかると、亀さんはとても眠くなったのである。

亀さんの真夜中の散歩には怖いこともあった。しかし、親友のコロに助けられて無事だった。亀さんは真夜中の散歩で、金魚、モンシロチョウ、テントウムシ、蛙などと出会って、楽しいこともあったであろう。

わたくしはこの絵本で特に一枚の絵が気に入った。それは亀さんの甲羅の上で一匹のネズミが跳びはね、もう一匹のネズミが甲羅の端にかみついている絵である。色彩は黒と白、それに灰色で、地味である。華やかさは少しもないが、亀の特徴とネズミの特徴が実によく出ている。

5

赤羽末吉は一九一〇年（明治四十三）五月、東京に生まれた。彼の作品で最も印象に残っている作品は『スーホの白い馬』（福音館書店　一九六七年十月第一刷＊一九八九年十一月第五十五刷）である。絵は赤羽で、文章（再話）は大塚勇三。この話はモンゴル民話である。

絵本の表紙は、白い仔馬を両手で抱きかかえているモンゴル少年の姿。少年はモンゴルの赤い民族服を着ている。

『スーホの白い馬』をわたくしは初め、国語の教科書で見た。小学二年生の教科書である。

この話の始まりは次のとおり。

中国の北の方、モンゴルには広い草原が広がっています。そこに住む人たちは昔から、羊や牛や馬などを飼って暮らしていました。このモンゴルには馬頭琴《ばとうきん》という楽器があります。楽器の一番上が馬の頭の形をしているので馬頭琴というのです。

いったい、どうしてこういう楽器が出来たのでしょう。それにはこんな話があるのです。

この後、すばらしい話が続くのだが、わたくしは一人で読んだ時、涙が次々とあふれ出た。悲しい場面があった。そして、残酷で傲慢な殿様（領主）が出てくる。この殿様の家来たちがスーホという少年の育てた白馬に矢を放ち、傷を負わせる。たくさんの矢を打たれ傷ついた白馬がやっとスーホの家に帰って来る。その場面は次のとおり。

その晩のことです。スーホが寝ようとしていたとき、不意に外の方で音がしました。「誰だ。」と聞いても返事はなく、カタカタ、カタカタと物音が続いています。様子を見に行ったお婆さんが、叫び声を上げました。「白馬だよ。うちの白馬だよ。」

スーホは跳《は》ね起きて、駆けて行きました。見ると本当に白馬はそこにいました。けれど、その体には矢が何本も突き刺さり、汗が滝のように流れ落ちています。白馬はひどい傷を受けながら走って走って走り続けて、大好きなスーホのところへ帰って来たのです。

スーホは歯を食いしばりながら、白馬に刺さっている矢を抜きました。傷口からは血が吹き出しました。「白馬、ぼくの白馬、死なないでおくれ。」

でも、白馬は弱り果てていました。息はだんだん細くなり、目の光も消えていきました。

そして、次の日、白馬は死んでしまいました。


これで話は終ったのかなとわたくしは思った。しかし、その後があった。

それはスーホが夢を見たということである。スーホはいったい、どのような夢を見たのだろうか。

夢の中で白馬はスーホにこう語った、「そんなに悲しまないでください。それより、私の骨や皮や筋《すじ》や毛を使って楽器を作ってください。そうすれば私はいつまでもあなたのそばにいられますから。」

悲しいし、悔しい。しかし、殿様に復讐する気持ちは生じなかった。スーホは夢の中で白馬の言ったとおりに、骨や皮や筋や毛を用いて楽器を作った。それが馬頭琴である。

わたくしはこの物語の結末を見て、どうも腑に落ちない気がした。傲慢で悪辣な殿様に誰も仕返しをしないのだろうか？　そうでないと、この話は弱い人々が苦しみに耐えながら、別の仕方で明るい方へ向かうという「そらし話」のように思える。

赤羽末吉の絵はとても迫力があり、すばらしい。しかし、話の方はどうもすっきりしない。悲しい、涙にあふれるばかりの悲惨な話である。

6

林明子の原画展を二〇一八年（平成三十）七月に銀座松屋のイベントスクエアで鑑賞した。ポスターに『はじめてのおつかい』（福音館書店　文・筒井頼子　一九七六年）の少女の絵が載っている。笑顔がとても溌剌《はつらつ》としている。元気な少女が牛乳の紙パックを持っている。わたくしはこの絵に魅せられて、こっそりと銀座松屋に出向いた。たくさんの人がいて、ゆっくりと絵を鑑賞できなかったが、原画の幾つかを見ることが出来て満足した。

わたくしは林明子の絵本を何冊か所有しているが、ここでは二冊を取り上げて論評する。まず、『はじめてのキャンプ』（福音館書店　一九八四年六月）から。もう一冊は『こんとあき』

（福音館書店　一九八九年六月）。いずれも、絵のみならず文も林明子の作である。

『はじめてのキャンプ』の表紙は女の子がキャンプに行く姿であり、背中にリュックを背負い、腕の下に飯盒《はんごう》をぶら下げている。頬に赤みがさしていて、とても元気な女の子だ。

この話の始まりは次のとおり。


ナホちゃんはちっちゃい女の子です。お隣のトモコおばさんは、ナホちゃんの友だちです。ナホちゃんがトモコおばさんの家に遊びに行くと、トモコおばさんは大きい子どもたちに紙を配っていました。「大きい子は明後日《あさって》、河原にキャンプに行きますよ。この紙に書いてあるものをそろえなさい。」

ナホちゃんの目が、きゅっとつり上がりました。「わたしも行く！」

「ちっちゃい子は駄目！」と、大きい子が言いました。

大きい子が「駄目！」と言った理由は次のとおりである。大きい子のアキちゃんは言う「ちっちゃい子は重い荷物を持って歩けないし、……」、モックんは言う「ちっちゃい子はすぐ泣くし、……」、ユウちゃんは言う「ちっちゃい子はご飯を炊《た》く薪《まき》を集められないし、……」、カミちゃんは言う「ちっちゃい子は夜、暗いと怖がるからダーメ！」

それでも、ナホちゃんは重い荷物を持って歩けるし、絶対泣かないと言った。また、ご飯を炊く薪を集められるし、暗くなっても怖がらないと言った。最後にトモコおばさんが念を押すように、こう言った「暗い外におしっこに行ける?」

ナホちゃんは言った、「わたし、暗い外に一人でおしっこに行ける!」

この返事を聞いてトモコおばさんはナホちゃんに同じ紙を渡し、「あなたも連れて行きますよ。」と言った。

こうしてナホちゃんはみんなとキャンプに出かけた。

7

河原でのキャンプで、ナホちゃんが最も心配したのは夜、みんなが寝静まった頃、おしっこがしたくなったことである。

「おばさん、おしっこ」と言ってもトモコおばさんは起きてくれませんでした。それで、ナホちゃんは一人でテントの外に出た。その続きは次のとおり。

ナホちゃんはおしっこが出そうになって、テントの外へ這《は》い出しました。「ジ、ジ、ジ、ジ、……」と虫が鳴いています。ナホちゃんは急いで近くの草叢《くさむら》にしゃがんでおしっこをしました。傍《そば》の虫の声がピタッとやみました。

立ち上ると空一面に星が輝いていました。また、「ジ、ジ、ジ、ジ、……」と虫が鳴き出しました。「あれっ！」星が一つ、すーっと流れて消えました。

おしっこを出して、さっぱりした気分のナホちゃんが空を見上げると、都会ではあまり見られない星がたくさん、キラキラと輝いていた。そして、草叢から「ジ、ジ、ジ、ジ、……」と虫の鳴き声がする。珍しいことにナホちゃんは流れ星も見た。これはとても素晴らしい瞬間である。キャンプでの生活はみんなと一緒にご飯を食べたり、歌をうたったり、ダンスを踊ったりするのが楽しい時間であるが、また、そのほかに一人で田舎の河原で夜空を仰いで星を見たり、草叢から聞こえる虫の声に耳を澄ませて聞いたりする時間も楽しいものである。

わたくしはこの絵本で、ナホちゃんが一人で夜の河原を散歩する姿が強く印象に残った。それは中谷千代子作品の『かめさんのさんぽ』を想起させる。

そして、この作品『はじめてのキャンプ』の末尾は、ナホちゃんは朝になると河辺に行き、顔を洗い、そして、大きな声で言う。

「わたし、大きい子のようにちゃんとキャンプできたよ！」

これはナホちゃんが自分自身に言った言葉だと思う。トモコおばさんも、先輩のお兄さんやお姉さんも、この元気な声をどこかで聞いたと思う。

8

『こんとあき』（福音館書店　一九八九年六月）の表紙絵は、小さな女の子が駅のプラットホームで緑色の旅行鞄《カバン》を右手に持っている。その女の子が小さなキツネと何か話をしている。これはいったい、どんな話なのだろうか。

ページをめくると、こんな文章が記してある。

コンは赤ちゃんを待っていました。コンはおばあちゃんに赤ちゃんのお守りを頼まれて、砂丘町《さきゅうまち》から来たのです。「あああ……」コンはあくびをしました。「ここにずうっと坐っているの、もうあきちゃった。砂丘町に帰りたいなあ。おばあちゃんに会いたいなあ」コンはうとうとと居眠りをはじめました。コンは広い砂丘の夢を見ていました。

コンは居眠りから覚《さ》めると、驚いたことに、目の前のベッドに赤ちゃんが眠っていた。「赤ちゃんて、こんなにちっちゃくて、こんなにかわいいいなんて、知らなかったな」コンはうれしくて、胸がドキドキした。

その後、赤ちゃんはどんどん大きくなる。そして、名前は「アキ」というのだと知る。コンはアキと遊んでいるうちに、アキはどんどん大きくなる。

ある日のこと、コンの腕がほころびてしまった。コンは砂丘町に帰っておばあちゃんに直してもらおうとして、出かけようとする。「わたしも連れてって」とアキが言った。

それから二人は駅に向かう。そして、駅のプラットホームで電車が来るのを待つ。この時の場面が、本の表紙になった。

電車の中での二人の様子が、大変面白く描かれている。

コンは電車が途中で停まると、弁当を買いに行った。アキはコンがなかなか帰ってこないので心配になった。とうとうドアが閉まって電車が動き出した。切符を調べに来た車掌さんにアキはコンのことを尋ねた。すると車掌さんは「キツネくんなら、向うのドアのところで見かけましたよ」と教えてくれた。アキは急いでドアのところへ行った。

弁当を二つ持ったコンが立っていた。しかし、彼は動かない。どうしたの？　コンは発車のベルが鳴り、あわてて電車に飛び乗った。その時、尻尾《しっぽ》がドアに挟《はさ》まれたのだ。

それでアキとコンは、そのドアの近くで坐り、弁当を食べた。この後、二人はどうなるのだろう？　読者のわたくしは不安になった。

9

次の駅で電車のドアが開いた。それで、コンはやっと自由になれた。しかし、コンの尻尾は真ん中がぺちゃんこになった。困ったなと思ったら、車掌さんがやって来て、コンの尻尾に包帯を巻いてくれた。実にありがたい！

そして、とうとう電車が砂丘駅に着いた。二人は車掌さんに手を振ってさよならをした。おばあちゃんの家に行く前に二人は砂丘に向かった。

アキは砂丘を見たのは初めてでした。二人は砂の上に足跡を付けました。「あれ、コン、この足跡は誰の？」「誰のだろう？」二人は足跡について行きました。

これもミステリアスな展開である。実はこの足跡は、犬だった。松林の中から、とつぜん犬が出て来て、コンを口にくわえて砂山を上って行く。

アキが追いかけて砂山を上ると、その下にコンの首が見えた。アキは急いで砂を掘り、コンを抱き上げて、こう言った、「コン、だいじょうぶ？」コンは小さな声で「だいじょうぶ、だいじょうぶ」と言った。

それからアキはコンを背負って砂山を下り、おばあちゃんの家をめざした。

そして、暗くなってきたころ、アキとコンはやっと、おばあちゃんの家に着いた。おばあちゃんは外に立っていて、こう言った「よく来たね。さあ、家へ入ろうね」

それから、アキとコン、それにおばあちゃんの三人でお風呂に入った。コンの尻尾はもとどおりの、立派な尻尾になった。

『こんとあき』は少女とキツネの人形が旅をする話であるが、終着地が鳥取砂丘の場所であるというのが意味深い。出発地がどこであるか判然としないが、少女がキツネの人形と共に旅をするというのは実に興味深い。砂丘で犬に連れて行かれたり、電車の中で尻尾をドアに挟まれたりといろんな事件が発生するが、それらもどうにか解決するという安心感がある。『スーホの白い馬』等とは違った現代物のさっぱりとした話である。絵も大変すばらしく、少女のアキと人形キツネのコンも可愛らしい。

10

再び中谷千代子の絵本『くいしんぼうのはなこさん』（福音館書店　一九六五年八月第一刷＊二〇〇〇年三月第三十八刷）を取り上げる。文章は石井桃子。石井は太平洋戦争中、東北（宮城県栗原郡鶯沢村）に疎開移住し、酪農業に従事していた。その仕事場は「ノンちゃん牧場」とも言われている。その経験からこの絵本が生まれたのだと、わたくしは判断する。そして、言うまでもなく画家の中谷千代子はカバや牛、そして亀やネズミなど動物を描くのが得意である。この絵本『くいしんぼうのはなこさん』は文章の石井と絵の中谷という両者のそれぞれの得意分野が発揮されたものである。

作品『くいしんぼうのはなこさん』の始まりは次のとおり。

あるお百姓の家に、仔牛《こうし》が生まれた。顔の真ん中に丸い鼻がにゅっと突き出ていましたので、家の人たちはハナコという名前をつけて、かわいがって育てました。

ところが、このハナコがとても我儘《わがまま》な仔牛でした。干し草をやれば、干し草はいや、トウモロコシの粉《こな》が食べたいと言います。トウモロコシの粉をやれば、それはいや、青いクローバーが欲しいと言います。

そこで、家の人たちは冬の間、ハナコの食べ物を集めるのに苦労しました。

けれども、ご馳走ばかり食べていましたから、ハナコはむくむくむくむく大きくなっていきました。ごらんなさい。ハナコの体のぴっかぴっかと光っていること。

中谷の描いた絵を見ると、確かに牛のハナコの体はずいぶんたくましくなった。その後、ハナコはお百姓に連れられて山の牧場へ行く。すると、牧場にはたくさんの牛がいた。お百姓は「これでハナコも大勢の友だちと付き合って、少しは我儘も直るだろう」と喜んだ。そして、お百姓はハナコを置いて村に帰った。さて、この牧場でいったい、何が起こるのだろうか？気がかりになって、わたくしは絵を次々《つぎつぎ》に見て行った。

すると、どうであろう。仔牛たち同士が角を突き立てて試合をしている。それを石井は「ちゃんばら」の試合と書いている。そして、この試合に勝った第一の勝利者が「山の牧場の王」になるという。

何人もと試合をして勝ち抜いたのはハナコである。「ハナコさん、ばんざあい！」負けた仔牛たちはハナコをほめたたえた。そして、彼らはいつもハナコの後をついて行き、ハナコの言うことをよく聞くと約束した。

ところが、このハナコは欲張りでまず、自分が先に草や餌のイモやカボチャを食べる。その後で他の牛たちが残り物を食べる。また、暑い日に牛たちは木の蔭で休む。その時、ハナコは真っ先に涼しそうな大きな木の蔭に近づいて、その真ん中で横になる。他の牛たちは余りの蔭で寝たり、小さな木を探して休んだ。まさに女王のように行動するハナコはどんどん太って動けないくらいになった。そして、とても苦しそうだった。

ハナコの飼主のお百姓は獣医を呼んでハナコを診察してもらった。「食べ過ぎです。ガスを抜きましょう」と獣医は注射を打った。すると、タイヤがパンクした時のような音がして、ハナコはうれしそうに鳴いた。それから以後、ハナコはイモやカボチャを食べ過ぎず、また、威張ったりせず、おとなしい仔牛になった。

絵本の最後の絵は、木につながれたハナコの姿である。口に口輪をはめられている。二日間、何も食べず、そのようにされて安静状態にさせられたのである。威張ったり、欲張りをしたりした天罰であろうか。

緑色の美しい牧場の絵がたいへん魅力的である。また、傲慢なハナコと、食べ過ぎて苦しいハナコの絵も写実的である。お百姓や牧場の人たち、それに獣医の表情もコミカルに描かれている。前掲の『かめさんのさんぽ』と同じように色彩は豊かである。しかし、『かめさんのさんぽ』と比べると、この絵本『くいしんぼうのはなこさん』はコミカルで愉快な箇所が多い。ストーリーは文字数が多くて、多少複雑だが、絵の方を見ていくと話の筋が明確にたどれる。やはり、中谷千代子の絵がこの絵本の魅力を向上させている。わたくしは『かめさんのさんぽ』とこの『くいしんぼうのはなこさん』を中谷の最高傑作だと判断した。

附記

絵本の原文は殆んど、平仮名である。本稿では漢字と片仮名を用い、読者が読みやすいように表記を改めた。

第六章　高校生と読む宮沢賢治の作品　――「なめとこ山の熊」を中心に――

1　高校生と宮沢賢治の作品

高校生が宮沢賢治の作品にどういう反応を示しているかですが、最近、高校生は児童文学、いわゆる童話に強い関心を持っています。賢治の作品では、「風の又三郎」「銀河鉄道の夜」を読んだことがあるという生徒が多いようです。

ところが、前に読んだけれど何かよくわからなかったので高校生になってもう一度読み直したいと思う生徒もいます。

賢治の作品を用いて国語の授業をする時、私ははじめに「これまで賢治のどういう作品を読んだの？」と聞きます。数は少ないです。中学校で習った「オツベルと象」をあげるくらいです。また、学校で習わなくても、自分で読んだが印象が薄く、あまり頭に残っていないと言います。

高校の国語教科書では賢治の詩で、「永訣《えいけつ》の朝」「くらかけ山の雪」「曠原淑女《こうげんしゅくじょ》」、この三つがよく出ています。

「永訣の朝」は明確なストーリーがあり、しかも作者の訴えかけてくる主題がはっきりしています。清浄な雪の様子と妹のとし子が死んでいく状況が一体となって読者に新鮮なイメージを与えます。それで、生徒は大いに感動します。詩の末尾にたどり着くと作者の祈りの気持が出て来てそれがどんどん高まっていきます。私はこれらの詩にあれこれ説明することはしません。教材自体が持つ力に任せます。教師はその裏方で働くだけです。表に出て演じるのは作品それ自体であります。それは作品の持つ力が生徒を感動させるのだと思うからです。

「くらかけ山の雪」は賢治の心象スケッチであり、同じ題で二作あります。よって、この二作を一連のものとして生徒に示します。

「曠原淑女《こうげん》」は明るい詩で、農家の娘の〈労働の喜び〉を伝える詩です。これは生徒にある程度の感動を与えますが、「永訣の朝」ほどの迫力はありません。それ故、あっさりと扱って、すませてしまいます。

賢治の詩で生徒に一番感動をもたらすのは、「永訣の朝」だと思います。

宮沢賢治という人は、詩人になろうとして詩人になったのではないと思います。そういう点で一般的な意味でいう、詩人ではない存在です。

しかし、彼はなかなかの勉強家ですから、いろんな詩人の作品を読んでいます。例えば高村光太郎です。彼から受け継いだヒューマニスティックなものを絶えず堅持していて、それが賢治の詩において重要なものとなっています。だから、賢治は詩を書いていても、当時の詩人たち、例えば『赤と黒』のアナーキズムの詩人たち、また、ダダイズムやモダニズムの詩人たちとは異なる、いわゆる「おのがじし」の方向へ進んで行きました。ただ、『歴程』の草野心平から賢治の死後、評価されるように『歴程』派に近い存在だったかもしれません（注1）。

そして、賢治は詩のみならず、童話を書きました。つまり、宮沢賢治という文学者はいろんな方法、いろんな形で自己表現を行った多様な文学者だったと思います。

2 「なめとこ山の熊」の解釈と授業

宮沢賢治の童話で授業を行ったのは、作品「なめとこ山の熊」です。高校一年の生徒と一緒にこの作品を読んでいきました（注2）。

その経験から言うと、この作品の核心を捉える読みは高校一年生でも可能であるし、また、この作品は高校生に強い感動を与えるという思いがしました。また、この授業をきっかけにして賢治の他の作品を読んでみたいという声が多く出てきました。「なめとこ山の熊」が高校の国語教科書に出現した意義は大きいと思います。

「なめとこ山の熊」で町の荒物屋に対する批判がよく出ると言われます。しかし、私が行《おこな》った授業では、生徒の一番注目したのは、母熊と子熊が会話をするところです。「淡い六日の月光の中」「向こうの谷をしげしげ見つめて」会話をする親子の熊の姿です。谷のこちら側だけ白くなっているところを子どもがどうしても雪だというのに対して、母は「雪でないよ、あすこへだけ降るはずがないんだもの。」と言います。すると子どもは「だから溶《と》けないで残ったのでしょう。」と言う。すると母熊は「いいえ、おっかさんは、あざみの芽を見に昨日あすこを通ったばかりです。」と言う。熊の親子がこうした何の変哲もない平凡な会話をするのを、猟師の小十郎が物の蔭からずっと見ている。母熊と子熊との会話は何気ない普通の会話です。しかし、この何気ない会話の様子を見ていた小十郎は「なぜかもう胸がいっぱいに」なります。

それから小十郎は「余念なく月光を浴《あ》びて立っている母子《おやこ》の熊」を「ちらっと見て」、それから「音を立てないように」「こっそりこっそり」もと居た場所に戻り始めます。この辺から小十郎の心理は変化していきます。

それまで生活の資を得るために熊を捕《と》っていた小十郎の心が変わっていきます。そのきっかけとなったのが、この母子の熊の姿です。

生徒はこのような母子の熊の姿、それを見ていた小十郎の姿、これらを通して大いに感動しました。それはまず、親子の情愛というものが動物にもあったということです。そして、そのことを忘れかけていた小十郎の心です。小十郎ははっとそのことに気づき、それまで行っていた自分の所業を振り返り、疑問を感じ出します。

また、「なめとこ山の熊」には、小十郎の置かれている現実の状況がいろいろと書かれています。米の代用食である稗《ひえ》が少ししか取れない、米は少しもできない、味噌《みそ》もない、九十歳になる老人をかかえている。子どもが七人いる。これが家主である小十郎の現実である。

そして、小十郎は苦労して取った熊の皮が町の荒物屋で、値切られて安い値段になる。

このような小十郎を取り巻く厳しい生活現実が、この作品「なめとこ山の熊」に流れています。

小十郎が出した熊の皮を荒物屋が値切って、二円で買い取ります。貨幣価値は今とずいぶん違いますが、相当な安値で買い取ったのだと思います。

「なめとこ山の熊」を教材として扱う場合、この作品に描かれた時代のことを生徒に調べさせることがあってもいいと思います。この作品が単なる作り話ではなく、かなり現実味を帯びた作品であることが生徒にわかるからです。

3　賢治童話の特徴

ところで、少し観点を変えて、賢治童話の特徴を考えてみます。

賢治の童話は語り口調の文体であり、しかも、それが大変ユニークであります。童話を読んでいると、「あれ、こんな表現をするのか！」とハッとする表現がたくさんあります。それらはおおむね擬声語、擬態語、または比喩的な表現です。賢治はそれらを意識して使おうとしたのではなく、彼の頭と心から自然に出たものだと思います。表現の厳密な必然性、それを追求した結果だと思います。だから、意識的なレトリックではなく、本来的自然的なレトリックだから、読者は感動するのだと思います。

また、賢治童話には方言がたくさん出てきます。東北地方の方言です。私の勤務する学校は東京ですから、生徒は時々、違和感を持ち、ちょっと笑い出したりします。その笑いは軽蔑的なものではありません。

賢治童話の方言を通して伝わってくるのは田舎の土の匂いです。田舎の土の匂いは現在の都市文明の中では縁遠いものです。それで、賢治の童話を読むことによって都会の生徒の心に地方の「土の匂い」がしみ込んできます。都会の教室で賢治童話を読む意義はここにもあると思うのです。

4　生徒の意外な反応

前に取り上げた作品「なめとこ山の熊」についての生徒の反応をまた、紹介します。小十郎は猟師ですが、ある時から熊を殺したくないと思うようになります。しかし、生活のため家族を養うためにはどうしても熊を殺さなければならない。彼にはこういう葛藤があります。

小十郎は母熊と子熊とが親密な会話をする場面を見て、徐々におれはなぜ熊を殺さなければならないんだろうと疑問を感じるようになる。そして、作品の終りの方で小十郎はわざと自分が熊に殺されるように仕組んで死んでいく。自死に近い死に方である。この場面を読んで生徒からこのような感想が出ました。

「小十郎は満足して死んでいったのではないか。」「小十郎はいつも不審な気持ちで熊を殺していたが、母熊と子熊との親密な様子を見て後悔の念が強くなり、今度はその悔いをつぐなって死んでいった。」

このような生徒の読みに接して、わたくしは驚いた。そして、小十郎の心の葛藤を強く感じるようになった。

ところで、もう一つ、生徒の読みで気づかされたことがある。それは小十郎が熊の皮を裂《さ》いていくところである。この箇所で「僕は大嫌いだ」と作者がひょっこり、顔を出す。すると、「あれっ!」と生徒は立ち止まった。「先生、作者がどうしてここに顔を出すんです?」と質問をする。私はこの質問を取り上げて「これはいいぞ!　よし、これを使おう。」と思って授業の課題に位置付けた。

作品の中に、突如、作者及び作者の分身が登場することがある。「僕」はなぜ、ここに出てきたのだろう。その問題を生徒と共に考えた。

また、「なめとこ山の熊」の末尾に、こんなところがある。「(死んだ)小十郎の顔は、まるで生きてる時のように、さえざえして何か笑っているようにさえ見えたのだ。」とあります。私はこの箇所に関連してこのような問いを設定しました。

「いったい誰にそのように見えたの?」「なぜ、小十郎の顔がさえざえして、笑っているように見えたのだろう?」

彼らは一瞬、戸惑いました。それから、幾つかのグループを作り、話し合わせました。いろんな考えが出ました。

ある生徒は、「これは熊たちにそういうふうに見えたのだ。」と言いました。また、ある生徒は、「作者にそのように見えたんだよ。」と言いました。

生徒たちの間に考えが分かれ、議論をしました。そして、ついに、このような結論に達しました。「小十郎の顔がさえざえして、笑っているように見えたのはまず、熊たちにである。その熊たちの視点の中に作者が入り込んだのです。」

こうして、文学作品の中に作者が不意に、思いがけずに顔を出すこともあるのだと生徒と共に私も学んだのです。

5　賢治作品から賢治その人へ

宮沢賢治の詩や童話には地学や天文学など科学の用語が多く入っています。例えば「永訣の朝」では「気圏」「みかげせきざい」「二相系」等です。これは賢治の詩の世界を特徴づけています。そのような科学の用語が入っているため生徒が作品を理解する上で煩わしい、そして指導上むずかしいという先生がいます。

一般的な文学者の詩にはこのような言葉はほとんど見当たりません。その点で賢治の作品は異質だと思いますが、それがペダンチックな（＊衒学的《げんがくてき》な）匂いがせず、彼の生活現実とぴったり結びついているので見事だと思います。

教室の中には文学の好きな生徒ばかりがいるのではなく、科学的なことが好きな生徒もいます。したがって、賢治の作品はこのような科学的な言葉がもたらす独特の雰囲気によって様々な生徒に働きかけるのです。

授業で生徒に賢治の作品を提示する場合、まず、この作品が自分とどういう点でつながるか、このことを意識しながら読みなさいと言います。

賢治の作品は読者を引きつける多くのものを持っています。第一に、語りの面白さです。第二に、方言の魅力です。第三に、登場人物が持つ「やさしさ」です。これらのことを私は初めに言いませんが、このようなことに生徒がおのずから気づいてくれれば、うれしいのです。そして、こう生徒に言います、「皆さん、自分と何かつながるものを探しながら読んでいきましょう。」

宮沢賢治は自分自身に対してひじょうに厳しい人でした。全集を見ても、推敲の跡が多いですね。芥川龍之介も推敲をよくした人です。だが、芥川と賢治は異なるところがあります。芥川は一個の芸術品を作るという意識が強く、それで推敲に力を入れます。発表を意識していますから、当然のことです。しかし、賢治の場合、発表する舞台は決まっていません。あくまでも自分の内部にうごめく、おぼろげなものに何とか形を与えようと必死だった。私にはそう思えるのです。そして、これではまだ駄目だ、違う、もっと別の表し方がないだろうかと悩んだのです。推敲という表現のやり直しは同じですが、その背景が違っていたと私は思うのです。賢治は人と人との関係において他人には大変やさしい人だったそうです。しかし、自分自身に対してひじょうに厳しいというのは、自分の心の中にうごめくものにとりつかれ、それらを次々に書いていくよりほかになかったということです。完成した一個の芸術品を作る余裕などなかった。だから、賢治の作品には未完成のものが多いのです。

こうした賢治の内面の問題を探究していくと、ある所で修羅意識にぶつかります。これはひじょうに奥が深く、高校生には理解が難しいのではと思いますが、例えば天沢退二郎さんの著書（注3）などを参考にされたらいかがでしょうか。

宮沢賢治の作品は、教科書に載った詩や童話に止まることがありません。未完成未発表のものがたくさんあります。それらも読んでみてください。そして、たくさんの作品を読んだ後、作者である宮沢賢治の人となりに迫ってください。

以上で私の話を終わりにします。

注

（1）日本近代詩史における宮沢賢治の位置づけは微妙であるが、例えば伊藤信吉らが編集した『現代詩鑑賞講座6　人道主義の周辺』（角川書店　一九六九年八月）に宮沢賢治が入っている。賢治は人道主義の詩人千家元麿、百田宗治、村山槐多、尾崎喜八らに近い存在であるという認識なのだろう。

（2）わたくしが行った国語の授業は、東京学芸大学附属高校大泉校舎の生徒に対してである。その時、教材としての賢治作品はいろんな本から採ったが、「なめとこ山の熊」は谷川徹三編の『宮沢賢治童話集　風の又三郎他十八篇』（岩波書店＊文庫　一九五一年四月）から採った。なお、「なめとこ山の熊」は後に、教科書『現代文』（三省堂　一九八三年）に所収された。

（3）天沢退二郎の著書『宮沢賢治の彼方へ』（思潮社　一九七〇年八月＊第四刷）が参考になった。

附記

・この文章は座談会「宮沢賢治の人と作品をめぐって」（於・新宿の中村屋　一九八二年七月）のわたくしの発言をもとに加筆したものである。出席者は分銅惇作氏（実践女子大学教授）、中山渡氏（東京都港区立高松中学校校長）とわたくしの三人。座談会の内容は、『月刊国語教育』（東京法令出版）一九八二年十月号に掲載された。

・本稿では宮澤賢治の氏名の澤をすべて、新漢字の沢に統一した。

参考

本稿の中で取り上げた宮沢賢治の詩三篇「永訣《えいけつ》の朝」「くらかけ山の雪」「曠原《こうげん》淑女」を次に掲げる。但し、表記は現代表記に改めた。

永訣の朝

きょうのうちに
とおくへいってしまうわたくしのいもうとよ
みぞれがふっておもてはへんにあかるいのだ
　（あめゆじゅとてちてけんじゃ）
うすあかくいっそう陰惨な雲から
みぞれはびちょびちょふってくる
　（あめゆじゅとてちてけんじゃ）
青い蓴菜《じゅんさい》のもようのついた
これらふたつのかけた陶椀《とうわん》に
おまえがたべるあめゆきをとろうとして
わたくしはまがったてっぽうだまのように
このくらいみぞれのなかに飛びだした
　（あめゆじゅとてちてけんじゃ）
（以下、省略）

くらかけ山の雪

たよりになるのは
くらかけつづきの雪ばかり
野はらも　はやしも
ぽしゃぽしゃしたり　黝《くす》んだりして
すこしもあてにならないので
ほんたうにそんな酵母のふうの
朧《おぼ》ろなふぶきではありますが
ほのかなのぞみを送るのは
くらかけ山の雪ばかりです
（＊『春と修羅　第一集』所収）

くらかけ山の雪

くらかけ山の雪
友一人なく
ただ　わがほのかにうちのぞみ
かすかなのぞみを托するものは
麻を着

けらをまとい
汗にまみれた村人たちや
全くも見知らぬ人の
その人たちに
たまゆら　ひらめく
（＊手帳より）

曠原《こうげん》淑女

日ざしがほのかに降ってくれば
また　うらぶれの風も吹く
ニワトコやぶのうしろから
二人の女がのぼって来る
けらを着　粗《あら》い縄をまとい
萱草《かんぞう》の花のように笑いながら
ゆっくり二人が進んでくる
その蓋《ふた》のついた小さな手桶《ておけ》は
今日は畑へ飲み水を入れてきたのだ
今日でない日は　青いつるつるの蓴菜《じゅんさい》を入れ

欠けた朱塗りの椀《わん》をうかべて
朝の爽《さわ》やかなうちに　町へ売りにも来たりする
鍬《くわ》を二丁　ただしく　けらに縛《しば》りつけているので
曠原《こうげん》の淑女よ
あなたがたはウクライナの
舞手《まいて》のように見える
……風よ　楽しいおまえのことばを
もっとはっきり
この人たちに聞こえるように言ってくれ……
（＊『春と修羅　第二集』所収）

第七章　金子みすゞの詩　――複眼的思考から生まれる――

1

金子みすゞは何よりもまず、詩人であった。彼女は自分の生《せい》の証《あかし》として詩を書いたのであり、その方法・文体が童謡というジャンルを選びとったのである。

金子の童謡作品は、子どものみならず大人も感銘する質を内包している。

2

金子みすゞの作品を知るには『金子みすゞ全集』Ⅰ～Ⅲ、及び別巻（ＪＵＬＡ出版局一九八四年二月）に当たるのがよい。以下の引用はこれに依る。

金子みすゞは本名金子テル。一九〇三年（明治三十六）四月十一日、山口県大津郡仙崎に生まれた。地元の瀬戸崎尋常小学校を卒業し、郡立大津高等女学校に学ぶ。下関の書店で働きながら童謡を書き、みすゞのペンネームで『童謡』『婦人倶楽部』『婦人画報』『金の星』等の雑誌に投稿する。主として西條八十の選を受けた。一九二六年（大正十五）、宮本啓喜と結婚し、下関に所帯を持つ。間もなく長女ふさえを出産。一九三〇年（昭和五）宮本啓喜と離婚し、同年三月十日、睡眠薬で自殺。享年二十六歳。

金子みすゞは薄幸の詩人であり、彼女の実生活がもつドラマ性に多くの人々は吸い寄せられる。特に彼女がなぜ自殺したのかに関心が集まるが、詳細は全集別巻の矢崎節夫「金子みすゞノート」を参照するのがよい。

3

金子みすゞの実生活や生涯に興味を抱く読者は少なくない。しかし、わたくしはここで作品を通して彼女の思念を辿るつもりである。

まず、次の作品を見てみよう。

木《こ》の葉《は》が黄金《きん》に変わった
私も黄金に変わろう。

遠いお国の王様の、
使いが私をお迎えに、
宝玉《たま》で飾った籠《かご》持って、
きっと、きっと、きっと、やって来る。

黄金《きん》の木《こ》の葉《は》は散った、
散っても黄金の色だ。

明日《あした》はきっと、変わろう、
くろい私が黄金《きん》に。

黄金《きん》の木《こ》の葉《は》は朽《く》ちた、

黄金になりゃ、朽ちる、
黒くて光っていような。
（＊旧漢字旧仮名遣いは新漢字新仮名遣いに改めた。以下同様）

これは「黄金《きん》の小鳥」と題する詩（『金子みすゞ全集Ⅲ』所収）である。一見、何の変哲もない詩である。しかし、この詩には作中人物「私」が他界（あの世）からの迎えに従って他界に行き、身体が「くろ（黒）」から「黄金《きん》」に変わるという死の想念が秘められている。

すなわち、「私」は小鳥に変身し、木の葉《こは》の色の変化に触発されて、わが身の前途を想像する。その想像は、他界からの招きによって死へ突き進むというものである。

しかも、「くろい私」が「黄金《きん》」に変わるというのは、死が法悦であると美化されている。また、死んでしまえば「朽ちる」と死の虚無性を示唆している。

次の詩「玩具《おもちゃ》のない子が」（『金子みすゞ全集Ⅲ』所収）を見てみよう。

玩具《おもちゃ》のない子が
さみしけりゃ、
玩具をやったらなおるでしょう。

母さんのない子が
かなしけりゃ、
母さんをあげたら嬉《うれ》しいでしょう。

母さんはやさしく
髪を撫《な》で、
玩具は箱から
こぼれてて、

それで私の
さみしいは、
何を買《こ》うたらなおるでしょう。

作中人物「私」のさみしさは、玩具と母さんを比べている。玩具が無くてさみしいのは、玩具を与えれば直る。母さんが無くてさみしいのは、母さんを与えれば直る。では、それだけのことなのだろうか。「私」のさみしさは玩具が無くてさみしいのでもなく、母さんが無くてさみしいのでもない。では、「私」のさみしさはいったい、どういうものなのだろうか。また、何を買ったら直るのだろうか。何を買っても直らない、永遠のさみしさなのだろうか。

生来的なさみしさを持った人は、どうやったら活発で元気な人になれるのだろうか。そのような問題提起をしている詩だと思う。

次の詩「額のなか」(『金子みすゞ全集Ⅲ』所収)には次の詩句がある。

額のなかはいいお国、
誰もはいれぬ、いいお国。
額のなかの人どおり、
ひとりの部屋もたのしいな。

この詩句を読むと、作者は自閉的だと評する人がいるかもしれない。しかし、「さみしい心」を持った人間が外界と積極的に接触し、自己変革を遂げていく場合もある。

また、「額のなか」で「いいお国」を作り、その中で「さみしい女王」として生き続ける人もいる。それを承認すべきである。

ほんの些細な事でも心が傷ついてしまう繊細な神経を持った人間がいるのである。そのことを忘れてはいけない。自分だけの考えや感じ方だけで他者を見ては大きな誤りを犯してしまう。そのことをわたくしは金子みすゞの詩から学んだ。

4

金子みすゞの詩には葬式を題材としたものが幾つかある。「おとむらいの日」（『金子みすゞ全集Ⅰ』所収）「お葬《とむら》いごっこ」（同前）「にぎやかなお葬《とむら》い」（『金子みすゞ全集Ⅱ』所収）等。葬式は儀式であり、ふつうは厳粛性を伴うが、金子がこれを描くと祝祭のようになる。

詩「お葬《とむら》いごっこ」は次のとおり。

お葬《とむら》いごっこ、
お葬《とむら》いごっこ。
堅《けん》ちゃん、あんたはお旗持ち、

まあちゃん、あんたはお坊さま、
あたしはきれいな花もって、
ほら、チンチンの、なあも、なも。

そしてみんなで叱られた、
ずいぶん、ずいぶん、叱られた。

お葬《とむら》いごっこ
お葬《とむら》いごっこ
それでしまいになっちゃった。

前詩「おとむらいの日」は、にぎやかで厳粛なお祭りのような葬式が「うちにもあればいい」と思った子どもの幻想（夢）を突き崩す「現実の悲しい葬式」を提示していた。ところで、この作品「お葬《とむら》いごっこ」はにぎやかで厳粛なお祭りのような葬式を子どもたちが一種の遊びとして行ったものである。しかし、それを見た大人が咎め、子どもたちを叱った。どういう言葉で叱ったのか、それはよくわからない。厳粛な儀式の一つである葬式を子どもが遊びの一つとして行ったのを大人は咎めたのである。

「ずいぶん、ずいぶん」叱られたわけだが、子どもたちはたぶんこの遊びをやめないだろう。「それでしまいになっちゃった」と記しているが、この最終行はお葬《とむら》いごっこの永久終止を意味しているのではない。それは一時的終止を意味しているのである。

そして、この後、詩「にぎやかなお葬《とむら》い」が描かれる。子どもたちにとってお葬式はにぎやかな祝祭なのである。

作者金子は子どもの認識に下降していくことで、葬式を自己にとって身近なものにしていく。子どもの認識を媒介として、葬式を一種の祝祭と捉えなおしていくのである。

5

金子には祭りを歌った作品が多くある。その描き方は葬式の場合と似て、寂寥が漂う。しかし、それは親しみを伴った寂寥である。

まず、祭りが来るのを楽しみにする詩が、こうである。題は「まつりの頃」(『金子みすゞ全集I』所収)。

山車《くるま》の小屋が建ちました、
浜にも、氷屋ができました。

お背戸の桃があかくなり、
蓮田の蛙もうれしそう。

試験もきのうですみました、
うすいリボンも買いました。

もうお祭りがくるばかり、
もうお祭りがくるばかり。

その次は祭のあとをうたった詩「きのうの山車」(『金子みすゞ全集I』所収)である。

祭のあくる日　ひるねごろ

みんながお昼寝あちこちに
さびしくかどに立ってたら
きのうの山車がゆきました

花も人形もこわされて
車ばかしがごろごろと
乾いた路をゆきました

ひとりさびしく見送れば
きのうの山車を曳く人も
埃《ほこり》のなかになりました

祭は賑やかなものであるが、終わった後の寂しさ、つまり、寂寥が漂う。祭の始まる前日と終ったあとの日という二つの面から祭の本質を捉えようとしているのは視点が鋭い。このような二つの面から物事を捉えようとするのは、複眼的思考と言える。

6

金子のよく知られた詩二篇を見てみよう。

まず、詩「お魚」（『金子みすゞ全集Ⅰ』所収）には次の詩句がある。

けれども海のお魚は
なんにも世話にならないし
いたずら一つしないのに
こうして私に食べられる。

もう一つ、詩「積った雪」（『金子みすゞ全集Ⅱ』所収）は次のとおり。

上の雪
さむかろな

つめたい月がさしていて。

下の雪
重かろな
何百人ものせていて。

中の雪
さみしかろな
空も地面もみえないで。

金子は単眼で物を見ようとしない。必ず複眼で物を見ようとする。そこが彼女の特徴である。物の見方の典型というべきである。わたくしは大いに賛同する。

海の魚はどうして人間に食べられるのだろう。人間に食べられる魚というのは、食物連鎖の観点から言えば、魚も実は何か小さい生きものを食べているのである。しかし、人間はいったい何に食べられるのだろうか。それを考えると、思考回路が行き詰まってしまう。人間も時には熊やライオンに食べられるということもあるが、昔と違って今の人間は知力で食べられるのを防いでいる。しかし、海の魚が人間に食べられるのを防ぐという発想は殆ど無い。これは興味深い問題提起である。

7

金子みすゞの詩は複眼的であると前述したが、子どもの物の見方が複眼的であるかどうかはわたくしには断言できない。しかし、金子の詩を読む子どもは物の見方が複眼的になるのではないだろうか。ああ、こういう見方もできるのだと彼らは頷くであろう。

金子の詩に「町の馬」（『金子みすゞ全集Ⅰ』所収）がある。それは次のとおり。

山のお馬は
酒屋のかどに、
町のお馬は
魚屋の前に。

山のお馬は
いそいそかえる、
積荷《つみに》おろして
山へとかえる。

町のお馬は
かなしい馬よ、
おさかな積んで
遠い遠い町へ
叱られ、叱られ、
曳《ひ》いてく馬よ。

この詩は山の馬と町の馬という二つをまず提示しておいて、以後、両者を対比して描きながら、作者はどちらか一方に視点を絞っていく。このような詩の作り方は実に興味深い。そして、最終行には作者の結論は述べない。淡々と叙述するのみである。「かなしい馬よ」と途中で少し、余計な言葉を述べているが、それは「いそいそ」帰る山の馬の喜び溢れる姿と対照的である。

これは馬の姿だが、親類の家の手伝いをして山の麓《ふもと》の実家に帰る子どもと、親類の家の手伝いをして遠い町の実家へ帰っていく子どもという両者の姿でもある。わたくしにはそのように見える。

8

複眼的ということに関連して、詩の技法について述べておく。金子みすゞはたくさんの詩を読んで勉強した。特に学んだのは西條八十の詩であろう。具体的にこうであるとここで示すことはできないが、金子みすゞは独力で多くの詩から学んだ。

その学んだことの最も大きなことは、視点の移動と焦点化という二つのことで単なる記述が「詩」へ上昇していくということである。「詩」を作るには視点の移動と焦点化が不可欠である。具体的に前掲の詩「町の馬」を取り上げて述べてみる。

まず、二つのものを提示する。そして、二つのものを比べながら描いていく。そして、最後はどちらか一方に収斂する。これが詩「町の馬」である。これと同じ手法で作った詩が「雀のかあさん」（『金子みすゞ全集Ⅰ』所収）である。

子どもが
子雀　つかまえた。
その子の　かあさん
笑ってた。
雀の　かあさん
それ見てた。
お屋根で　鳴かずに
それ見てた。

この詩はまず、人間の子が子雀をつかまえたという事象を読者に告げる。そして、その子の母親がそれを見て笑っている場面を示す。次に、雀の母親がそれを見ているという場面を示す。

そして、さらに、その雀の母親が屋根の上で鳴かずに、じっと見つめている場面を示した。鳴き声も出さずに、じっと見つめている母親雀の心の中は描写されていないが、読者はぐっと重いものを感じる。人間の世界と動物の世界は別だという認識ではない。人間の世界も動物の世界も同じであり、悲喜の感情はどちらにも存在するのだという認識である。

この詩「雀のかあさん」には前掲の詩「町の馬」と似たニュアンスや認識がある。

9

西條八十・水谷まさる共訳『世界童謡集』（冨山房＊百科文庫　一九九一年十二月）がある。この本は、一九二四年（大正十三）五月、冨山房から「模範家庭文庫」の一冊として刊行された。それを復刊したのが「冨山房＊百科文庫」のこの本である。

西條八十を「童謡詩の師」として尊敬していた金子みすゞはおそらくこの本を読んでいたのではないだろうか。

特にクリスティーナ・ロセッテイの詩に金子みすゞは感心し、大いに影響を受けたと思う。

この本『世界童謡集』にはロセッテイの作品「風」「火燧石《ひうちいし》」「お月さん」「もっとかわいらし

い」「跳《は》ねまわる羊」「子羊」「燕《つばくら》」「トランプのお家《うち》」「母と子」「なにが桃いろ?」「柳の下」「四つの答」「どうするの?」「カーテン」「人形」「鐘のひびき」「ねんねや　ねんね」「夢」「十二ヶ月」等十九作が収録されている。

ところで、西條八十は金子みすゞの童謡作品を「この感じはちょうどあの英国のクリスティーナ・ロセッテイ女史のそれと同じだ。」と述べたという。そして、童謡研究家の中には金子みすゞとクリスティーナ・ロセッテイの比較研究を行った人がいる。それはそれでいいのだが、わたくしは金子みすゞが西條・水谷共訳『世界童謡集』(一九二四年刊)を読んでいたのではないかと推測する。

それには二つの理由がある。その一つは、『世界童謡集』所収の作品「おとむらい」である。これはウォルター・デ・ラ・メアの作品である。作品は全三連で構成されているが以下、第一連だけを次に掲げる。

みんなはぼくらに喪服を着せた
スウザンと　トムと　ぼくとに。
それから
樹の枝が空にそびえ

雛菊やキンポウゲが咲いている
なにもかも美しい野原を歩きながら
ぼくらは雲のなかで
雲雀《ひばり》がさえずるのを聞いた――
喪服を着たまま。（＊現代表記に改めた。以下同様。）

この詩を読むと、金子みすゞの作品「お葬《とむら》いごっこ」を思い出す。英国のお葬式と日本のお葬式とは形式やニュアンスが異なる。しかし、お葬式を一種の遊戯のように思ってしまう子どもたちの様子は似ている。それをウォルター・デ・ラ・メアや金子みすゞが作品にしたのである。もう一つは、ロバート・L・スティーヴンスンの作品「お別れ」である。この作品は全三連で構成されており以下、全てを掲げる。

馬車が戸口へ来てしもた。
待ちこがれてた子どもらは
すぐ飛び乗ってうたったよ。
さよなら　さよなら　なにもかも！

お家よ　庭よ　野よ　芝よ
牧場の門よ　ぶらんこよ
ポンプよ　馬屋よ　高い木よ
さよなら　さよなら　なにもかも！

では　いつまでも　ごきげんよう。
枯草小屋の木の梯子《はしご》
枯草小屋の蜘蛛《くも》の網
さよなら　さよなら　なにもかも！

鞭《むち》の響で動きだす。
木々やお家が小《ち》さくなる。
森を曲がれば　もう見えぬ。
さよなら　さよなら　なにもかも！

この詩は一瞬、金子みすゞの詩「町の馬」を想起させる。しかし、スティーヴンスンの作品「お別れ」は町から田舎に来た子どもたちの話である。彼らは一日中、田舎の家で牧場の牛や羊、馬たちと楽しく遊んだ。そして、夕方になったので、馬車に乗って町へ帰ることになる。田舎の家や野原で充分楽しく遊んだ子どもたちが、馬車に乗って都会へ帰る。田舎のいろんなものに「さよなら　さよなら」と声をかけて、町へ帰る。このような楽しい詩である。

いっぽう、金子みすゞの詩「町の馬」はどうであろうか。これも馬が登場する。山の村から町へやって来た馬がいる。その馬は町で仕事を終えると、喜んで山の村に帰る。もう一つ、別の馬がいる。それは、ある町から別の町へ魚を運ぶ仕事をする。その馬は主人に叱られつつ、動き働いている。

この詩「町の馬」では、二頭の馬を比べて書いている。馬と馬との対比であり、この詩に子どもは登場しない。片方の馬は、仕事を終えて、喜んで山の村に帰って行く。もう一方の馬は主人に叱られ叱られ（鞭を何度も打たれて）、荷物（魚の入った荷物）を積んだ荷車を曳いて行く、かわいそうな馬である。

スティーヴンスンの作品「お別れ」も、金子みすゞの詩「町の馬」も共に馬を題材にした詩であるが、詩の構成も主題も全く異なる。したがって、この二つの作品には類似点がない。

西條八十・水谷まさる共訳『世界童謡集』は金子みすゞにとって愛着のある本であったかも

しれないが、わたくしの見解はこの本から金子が強い影響を受けたとは判断しない。しかし、前に述べたように、クリスティーナ・ロセッテイの作品からある程度影響を受けたであろう。そのことに関する研究をわたくしは詳しく行っていないので、充分なことは言えない。他者にお任せする。

本稿で取り上げた金子みすゞの作品

- 「黄金《きん》の小鳥」(『金子みすゞ全集Ⅲ』所収)
- 「玩具《おもちゃ》のない子が」(『金子みすゞ全集Ⅲ』所収)
- 「額のなか」(『金子みすゞ全集Ⅲ』所収)
- 「お葬《とむら》いごっこ」(『金子みすゞ全集Ⅰ』所収)
- 「まつりの頃」(『金子みすゞ全集Ⅰ』所収)
- 「きのうの山車」(『金子みすゞ全集Ⅰ』所収)
- 「お魚」(『金子みすゞ全集Ⅰ』所収)
- 「積った雪」(『金子みすゞ全集Ⅱ』所収)
- 「町の馬」(『金子みすゞ全集Ⅰ』所収)
- 「雀のかあさん」(『金子みすゞ全集Ⅰ』所収)

第八章　永瀬清子の作品

――母親の心配は無限ならん――

1

永瀬清子《ながせきよこ》の名を知ったのはずいぶん昔、神保光太郎関係の年譜を作っている時だった。詩誌『麵麭《パン》』同人に彼女の名があったので驚いた。どういう関係から『麵麭』の同人になったのか、また、その時の彼女はどういう人であったのか神保から聞けばよかったと今、後悔している。

また、佐藤惣之助の詩誌『詩之家《の》』を何冊か見たことがある。その時は永瀬清子のことをあまり意識していなかったので、雑誌をざっと見るにとどまった。

岡山県に何度か行くことがあり、赤磐市の小学校にも国語科教育の講演で行った。しかし、その時は永瀬清子のことを意識していなかったので用事が済むとそのまま新幹線で帰った。赤磐市は永瀬の生まれ故郷であると後から知った。

このようにわたくしは永瀬清子を心の奥深い部分では意識しつつも、雑事に追われて本格的に向き合うことが無かった。残念である。しかし最近、急に永瀬清子のことが気になった。そして、インターネットで調べてみると、永瀬清子の生家保存会の活動などが眼に入り、嬉しくなった。

2

永瀬清子は一九〇六年（明治三十九）二月十七日、岡山県赤磐郡豊田村松木（現、赤磐市熊山町松木）に生まれた。本名は永瀬清《きよ》。両親と共に幼少時に石川県金沢市で過ごし、大正十一年（一九二二）三月、県立第二高等女学校を卒業。のち、愛知県に移る。昭和二年（一九二七）愛知県立第一高等女学校高等科を卒業する。女学校在学中から名古屋市の詩誌『新生』に詩を発表。昭和三年（一九二八）、詩誌『詩之《の》家』の同人となり佐藤惣之助の指導を受ける。昭和五年（一九三〇）、第一詩集『グレンデルの母親』（歌人房／上田屋書店　一九三〇年）を刊行。昭和六年（一九三一）、東京に移り第一次『時間』同人となり、北川冬彦らと詩作に励む。引き続き『磁場』『麵麭』等の同人となる。昭和十五年（一九四〇）、詩集『諸国の天女』（河出書房　一九四〇年八月）を刊行する。

昭和二十年（一九四五）、戦争の惨禍を避けて郷里の岡山に帰る。以後、約二十年、農業に従事する。その傍ら詩作を続け詩集『星座の娘』（目黒書店　昭和二十一年四月）『大いなる樹木』（桜井書店　昭和二十二年）『美しい国』（炉書房　昭和二十三年二月）『焔について』（千代田書院　昭和二十五年七月）『山上の死者』（日本未来派発行所　昭和二十九年十月）『薔薇詩集』（的場書房　昭和三十三年十二月）『アジアについて』（黄薔薇社　昭和三十六年四月）を刊行。また、随筆集『女詩人の手帖』（日本文教社＊岡山市　昭和二十七年十二月）がある。昭和二十七年（一九五二）八月、詩誌『黄薔薇』を創刊。

昭和二十三年（一九四八）三月、岡山県文化賞第一回を受賞。昭和三十年（一九五五）四月、アジア諸国会議に出席するためインドのニューデリーに赴く。帰途、中華人民共和国を視察し、六月帰国した。

昭和三十八年（一九六三）三月、永瀬は世界連邦都市岡山県協議会事務局長代理となり、岡山県庁内（社会教育課）に勤め出し、昭和四十一年（一九六六）岡山市に住む。

他にも多くの散文集や詩集がある。わたくしが見た彼女の本で最も印象に残っているのは『卑弥呼よ卑弥呼』（手帖舎　一九九〇年一月）と随筆集『すぎ去ればすべてなつかしい日々』（福武書店　一九九〇年六月）である。

永瀬は詩作の活動だけでなく、多くの社会活動を行った。文学だけに専念する詩人でなかった。また、実家の農作業も行った。そのような人である。

3

永瀬清子が岡山で詩誌『黄薔薇』を創刊したことについて少し記しておく。それは昭和二十一年（一九四六）十一月、岡山で創刊された詩誌『詩作』の後を女性のみで継承するという趣意の詩誌である。

さらに、もう少し述べると、『詩作』は詩のみならず「その他の芸術ジャンルとの緊密な協働」を期待するものであり、どんどん内容が膨らんでいった。しかし、昭和二十四年（一九四九）十二月刊の第七集でしばらく休刊となる。そして、昭和二十七年（一九五二）二月に第八集が出たが、それで廃刊となる。

そのような次第で、『詩作』同人であった永瀬清子と坂本明子が「自分たちの手で雑誌を作ろう」ということで昭和二十七年（一九五二）八月、詩誌『黄薔薇』を創刊した。創刊時のメンバーは大学生や会社員、主婦などで、永瀬と坂本を含めて全六人、すべて女性であった。隔月に刊行し、十二月に第三号を出した時、同人は八人となり女性のみである。

詩誌『黄薔薇』は昭和三十二年（一九五七）八月、第二十五号で終刊となる。永瀬と若い人たちとの間に意見の違いが生じ始めたからである。しかし、その後、藤原菜穂子や宮田恭子、それに男性の同人が加わり、『黄薔薇』は復活した。

詩誌のみならず、同人雑誌はこのような軌跡をたどるものかとわたくしは思う。

そして、永瀬清子は平成七年（一九九五）二月十七日、生年月日と同じ日に亡くなった。享年八十九歳。

4

永瀬清子の随筆に「調和と不調和」がある。これはひじょうに珍しい雑誌に出ていたものである。渡辺忠雄主宰の『詩と美術』（詩と美術社）第三巻第五号（昭和十六年八月号）に掲載されている。全体で三ページ、二段組みである。中身は「第一話　母娘」「第二話　マスク」「第三話　茶と茄子」、この三話からなっている。

「第一話　母娘」は洋裁の得意な永瀬が、時々家の近くや電車の中で見かける母親と娘の姿を文章でスケッチしたものである。

「顔立ちは悪くないのに表情がなく、あんな堅苦しい洋服でなく、もっと腰にも首周りにも柔らかなギャザーを多くして幅も緩やかにし、身体の欠点を隠したらと、こちらでいろいろその型を考えてあげたくなるのである。」（＊旧漢字旧仮名遣いは現代表記に改めた。以下同様）

これは女学生風の娘さんの姿である。一方、母親の姿はこうである。

「顔は白いが壁のように白く、小皺《こじわ》もあって年もふけているらしいのに割に派手な着物を着て、どこからどこまで富裕な家の奥様らしく取り澄ましている。（中略）帯揚げをあらわにし、手には黒レースの手袋。それでいて下駄だけは（中略）鎌倉彫の下駄なので、手袋が殊に仰々《ぎょうぎょう》しく、似合わないでおかしかった。この人はお金持ちのくせにちょっと、勘が足りないなと思った。」

ところで、この第一話の終りはこうである。

（前略）二三日して、また、この令夫人に出会った。すると、この令夫人と並んでくるのが前述の娘さんだった。こうして見ると、二人の母と娘はあまりにもよく似合っている。彼女らのシックさがどこか調子のとれないものであるのに比して、この二人が母と娘であることは何と釣り合いが取れていることよと驚き、おかしかった。

この文章の終わり方は、まさに一篇の詩の終わり方である。

「第二話　マスク」は電車の中で見かけたマスク姿の男二人である。一人は『いかめしい巡査』であり、もう一人は「立派な外套を着た背の高い男の人」である。

巡査の姿はこうである。

　マスクは網の目で出来ていた。しかし、ガーゼが入れてないので、網の目を通して鼻も口も丸見えであった。整った頬で鼻も口も端然としているので、なお、おかしかった。

次の時、同じ電車で見た背の高い男の姿は次のとおり。

　その人もマスクをかけていたが、マスクは口だけを覆《おお》っていて、鼻はすっかり出していた。北極へでも行くような身ごしらえで、肝心の鼻だけを出しているのは、実に奇妙なやり方である。背中が丸出しで、袖口と裾口に重々しく毛皮を飾った夜会服や、裸ダンスにハイヒールの靴をはいた踊子を時々映画で見るが、それをちょっと想い出した。

マスクをするのは通常、鼻と口を覆うのであるが、電車の中で見たふしぎなマスク姿の男二人を描いている。片方は網の目を通して鼻も口も丸見えである。整った頬、鼻と口は端然としているので調和がとれている。それなのに、マスク自体は不調和である。

もう一人の男は身ごしらえは北極へでも行くようで万全であり、調和がとれている。それなのに、マスクは口だけを覆《おお》っていて、鼻はすっかり出しているので不調和である。これはマスクの掛け方がよくない。

「第三話」は女学生の一枝《かずえ》さんの話である。筆者永瀬の女学生時代の友だち一枝は「人目を引くもの」をもっていて、教育実習生の先生を夢中にさせたりした。才気煥発で大胆だった。女学校を卒業して、許婚《いいなずけ》であった軍人と結婚して、子どもを二人生んだ。夫の任地が東京に近い所にあり、そこへ引っ越した。子どもは?と聞くと、郷里の母に任せたと気楽に答えた。筆者永瀬が郷里へ帰った時、偶然彼女(一枝さん)も帰っていた。その時の出合いは次のとおり。

ある日、街の有名なお茶を売る店で、彼女に出会った。彼女は一面に罌粟《けし》の花を散らした着物を着ていた。罌粟の花は総刺繍であった。その半襟《はんえり》も淡色にして、同じ罌粟の花が刺繍してあるのであった。そして、二人は一別以来の話し合いをしたが、彼女がやがてお茶を買う段になると、いつも男性を魅《み》するそのきれいな声で、「あの、五円のお茶を二十五銭分下さいな」と言った。店の者も目をパチクリさせるし、私も驚いた。こんな素晴らしい衣裳で、そんなことが普通の人に言い得るだろうか。しかも、旧友の前で。私は驚いたが、一面、感心もした。

これは罌粟の花を散らした素晴らしい着物を着た彼女（一枝）が筆者にびっくりさせるようなことを、お茶屋の店員に言った。すなわち、素晴らしい着物を着た彼女の姿が不調和なことを言ったから筆者永瀬が驚いたのである。「こんな素晴らしい衣裳で、そんなことが普通の人に言い得るだろうか。」これが筆者の本音である。しかし、友人はあっけらかんとして何も感じていない。

また、友人の一枝は夫の父母の許《もと》へ毎月五十円仕送りしているという。それを聞いて筆者は、自分が母親からお金を貰ってばかりいるので恥ずかしくなった。

去年の暮れ（昭和十五年の十二月末）、女学校のクラス会で筆者は彼女（一枝）に会った。その時のことは次のとおりである。

（前略）日本婦人の性格ということでも、映画のことでも彼女は実に頭のいい話をした。さんざん、いろいろの話をしゃべり合った挙句、帰路につく時、彼女は東京へ出たついでに中野の親類へ立ち寄るつもりでいる。「いいものをお土産に持って来たから」と言った。

「いいものって何よ?」と言うと、彼女は風呂敷包みの上から軽く叩きながら、「塩茄子やわ」と言った。「へえ!」と驚いていると、彼女は「私が漬けといたのよ。とてもおいしいさかい、この次持って来てあげるわ」と、にこにこして言った。

夏の盛りに茄子をたくさん漬けておいて、冬の手土産にして喜ばれる。私は華やかな人の顔の好いのに今一度感心した。彼女が五十円ずつ仕送りできるのも本当だろうと思った。

高価高級なお茶と、地味で庶民的な塩茄子漬け、この二つをバランスよく扱う友人(一枚)のことを筆者永瀬清子は実に巧みに描いている。人間観察の素晴らしさである。

5

詩誌『詩の家』第五号=通刊第八十三号(昭和二十八年二月)を見た。編集者は佐藤宗三で、発行所は「詩の家」。「詩の家」の住所は東京都大田区池上本町にある。詩誌のタイトルは以前の『詩之《の》家』から表記が変わった。「之」が「の」に変わったのである。判型はB5判で、全十五ページである。

この『詩の家』第五号＝通刊第八十三号には、永瀬清子の随筆「消息」が載っている。内容は殆どが、故人佐藤惣之助（昭和十七年五月死去）の思い出である。以下、次のとおり。

佐藤さんの母堂に去年の春、私の書いた佐藤惣之助論をさし上げたく、上京を機に壺田花子さんと連れ立ってお伺いしましたが、ほんの数日の差で幽冥境を異にせられた後でした。

いつか一度は佐藤さんの好まれた折本《おりもと》（＊竹長注記、横浜市都筑《つづき》区折本町）の春の花を見に行きたいと思っていますが、多分それも空しい願いかも知れません。

折本に詩碑を建てるということもしばしば考えてみますが、私一人の考えではどうにもなりません。それより現実の世界で詩の業を受け継いでいくことの方が大事かもしれません。それも私は私なりに。もし昔のままの人々と、あの自然に楽しむことができたら、どんなに嬉しいことでしょうが……。

折本は神奈川県にある場所だが、わたくしはまだ行ったことがない。佐藤惣之助や永瀬清子が好む場所であるようなので、一度行ってみるつもりである。

また、永瀬はこの随筆「消息」で次のように記している。

『詩之家』へはずっとおしまいに入りましたが、一番早く創刊号から愛読したり、原稿を見てもらったりしていたので、佐藤さんにはやはり、最も親しみ深い感じを持っているのです。

そして、この随筆「消息」では自著『女詩人の手帖』（日本文教社　昭和二十七年）という本の中味を紹介している。日本文教社は岡山にある出版社である。そして、序文を寿岳しづが書いている。現在、大阪にある日本文教出版とは無縁である。

なぜこの本に寿岳しづが序文を書いたのだろうと不思議に思ったが、後日、永瀬の著書『すぎ去ればすべてなつかしい日々』（福武書店　一九九〇年六月）の中の「上京のころ」という一文を読んで、なるほどと了解した。

それは永瀬がウィリアム・ブレークの展示会を見たくて京都の博物館に行き、そこで寿岳夫妻（夫＝文章、妻＝しづ）に会ったからである。

「上京のころ」には次の文章がある。

寿岳夫人にはあとで私の『女詩人の手帖』という随筆集の序文もいただいたり又、ご夫妻揃って大阪の「吉兆」という料理屋へ私を招いて下さったこともあり、夫人は亡くなられたが、なんとしてもなつかしい方々である（注1）。

このように永瀬清子という人は実に人脈の広い人だと悟った。

6

さて、永瀬清子は息の長い詩人なので、多くの詩を残している。その中から数篇取り上げて鑑賞する。先ずは『永瀬清子詩集』（昭森社　一九六九年五月）から。

子どもは出て行った
富士へ登ると出て行った
輝く夏雲に囲繞《いにょう》された去年の夏の富士の思い出に
又、心いざなわれて出て行った

これは「母の心配」と題する詩（注2）である。去年の夏、息子は姉と共に富士山に登った。それは少年団の富士登山であり、子どもたちは元気に帰って来た。翌年、また、行くことになった。姉は行かず息子だけが行くことになった。

息子たちが富士山に登りかけたころ、風雨が強くなり、母の清子は心配で夜、眠れなかった。だが、息子は山小屋で一夜を明かし、元気な足取りで帰って来た。それは息子が小学校三年生の頃のことである。

あの時に叱ったことや
あの時にこちらを向いて笑った顔や
いつもは記憶の底に眠っているものが
すべて心に起ち上り、私を苦しめた
それらは既に帰らぬ姿ではなかろうか
惨酷な自然はほんの一吹きで髪の毛を飛ばすように、彼の生命を奪うこともできるのだ

そう思って母親は苦しむ。そして、三日目の夜ふけ、家の外で声がした。母はとび出して行く。

びしょぬれになった幼い子どもが入って来た
団服はすっかり身にまといつき
しかし、リュックサックをちゃんと負い
手には金剛杖を持っていた
ああ、自分の足で歩いて入って来た
その顔は雲上の紫外線に焼け
三日のうちに凛々《りり》しくしまっている
丈さえ高くなったように見えた
「登ったの?」
「登ったよ」
「頂上まで?」
「頂上まで」
彼は茶の間へどんどん上がって来た
その様子に少しもくたびれた風《ふう》がない
私は彼のまわりにおろおろした。

息子が富士登山から帰って来たのである。しかし、母は茫然として言葉少なく、おろおろしている。

それから、母は息子を風呂に入れた。風呂の外の母親と、風呂の中の息子との会話は次のとおり。

（前略）子どもは答えた、むしろ、ぶっきらぼうに。
「お握りはコチコチに凍って、食べられなかった。パンと梨はうまかった」
「雲が湧いてきて、崖道がとても危なかった。二晩、山室で泊まった。強力《ごうりき》は雇わなかった。」
「痛い所？　それは首さ。だって、あちらこちら見なくちゃならなかったから」

そして、この詩の末尾は次の二行である。

おお、母親の心配は無限ならん
子の成長も無限ならん。

母親は富士登山から帰って来た息子の表情と言葉に接して、息子の成長を感じたのである。初めは安全かどうか消息を危惧していたのだが、帰って来た息子に接してわずか三日のうちに凛々しく、心の引き締まった人間になったと感動したのである。
次に見るのは、「踊りの輪」（注3）と題する詩である。

美しい娘たちにまじって
私の娘も踊っている
人々の中にかくれて
私は彼女をみつめている

田舎の村の盆踊りであろうか。夜、自分の娘も踊っている。

私の結んでやった罌粟《けし》色の帯は
まだ和服に慣れない新しい稜《かど》があって
手足の振りも控え気味に

彼女は連れの娘たちにまじって踊っている

それを見て作者は「あんまり見劣りはしないだろうか」「幸福そうにしているだろうか」と心配になる。

いつも手許《てもと》へばかり置いて
遠くから見たことはなかったのだ
私があれくらいの時に
抱いていた願いや夢を
彼女もやっぱり抱いているだろうか
私の他に誰か彼女を見ているだろうか

娘の母親である作者は心配になる。さて、踊りの全体の様子はどのようであるのか。それは次のとおり。

踊りの輪はだんだん大きくなって

唄の声は次第に高まる
遅い月が山を離れて
空は一面の細《こま》かいさざ波
さざ波の皺《しわ》ごとに
銀の発光がはじまる
やさしく進んでは歩をかえす

母親は踊らずに、相変わらず踊りの全体を見ている。

青靄《あおもや》の中の大きな花のようにぼやけて
湖水の妖精のような一群の中
もう誰が誰ともよく判《わか》らない
美しい娘たちにまじって
私の娘も踊っている

これで詩は終わりだが、最終の二行が始まりの二行と同じである。普通の詩のリフレインと異なる手法だが、この二行が実に生き生きとしている。自分の娘だけを見ているのでなく、踊りの全体を見ながら自分の娘を見るという巨視と微視という複眼的思考がこの作品を素晴らしいものにしている。

7

永瀬清子が自分のことから発展して母のことをうたった詩に「元日」（注4）がある。ある年の元日に作者は熱があり寝ていた。作者の生まれたのは二月だから、もうすぐ自分の生まれた季節がやって来ると思って、自分が生まれた赤ん坊の時のことを母から聞いた。

それは二月のなかば
そのきさらぎの新しい空の色が
特別にその年はうらうらしていて
梅の花がうす紅《あか》く咲き出していたのだって
産湯《うぶゆ》で洗ってもらったばかりの私が

お布団も掛けずに
陽のあたる縁側に寝かされていたのだって
その時の若かった母が
再びこの長く閉ざされていた古家で
別れていた私とも一緒になり
かぼそい身体でありとあらゆる事をしてくださる
明るい部屋には岸駒《がんく》の小さい富士の軸をかけておいてくださる
釣瓶《つるべ》の縄も新しく変え
青竹で鶏舎もつくってくださる

この詩で分からない言葉が幾つかある。まず、岸駒《がんく》である。これは江戸後期の画家の名前である。金沢に生まれ京都で活躍した画家で、屏風絵などで名の知られた人である。産湯や釣瓶なども今の人にはわかりにくい。産湯は生れたばかりの赤ん坊を入浴させるお湯のこと。釣瓶は井戸水をくみ上げるのに使う桶のこと。鶏舎はニワトリ小屋のこと。

さて、この詩の後半は次のとおり。

静かに寝ていると
長い歳月の流れが不意に消えて
生まれた時のまま寝ているようだ
母がいなければ何にもできない
赤ん坊のように自分が思える
別れて暮らしていた事こそあり得ないことに思える
だんだん元日の日が暮れだして
私はぐっすり眠りに陥った。

成人になって結婚し、母と別れて暮らしていた自分だが、再び郷里に帰り母と暮らすようになった作者は、自分が生まれた当時のことを思い出した。元日に熱があって作者は起きられず、静かに寝ていた。すると、六十歳になった母は「きれいなお雑煮」をつくってくれた。そのような母に感謝して作者は元日の日が暮れだして、ぐっすり眠りに陥った。

この詩は老境の母に感謝しつつ、自分の生まれた時のことを思い出す回顧と感謝の詩である。自分の母に感謝するという気持は、成人になった子どもにはなかなか起こらない。それは仕事や雑事に追われていて、親の方までに気持が向けられないからである。自分の夫のこと、子どものこと、家計のこと、仕事のこと等に考えが向けられ、親の方までに考えが向けられないからである。しかし、不意に体調に変化が起こり寝込んでしまったりすると、考えがずいぶん昔のことや、親のことに向かうことがある。自分が幼かったとき何をして遊んでいたか、お母さんが何をしてくれたとか、いろんなことが心に浮かんでくる。

この詩は作者が久しぶりに母と暮らすようになって迎えた元日の日のことをうたった詩である。それは通常であれば、喜びにあふれ皆と「新年、おめでとうございます」と挨拶を交わす目出度い時間である。しかし、この場合は、作者に熱が出て寝込んでしまうという事態である。悲劇的でもない、多少の突発の事態である。その事態を作者の母が上手に乗り越えてくれた。そこで作者は母への感謝と懐旧の念を詩に綴ったのである。何ということもない平凡な詩であるが、このような出来事も詩に表現することができるのだということを、この詩は示してくれる。だから、わたくしはこの詩は平凡であるが、素晴らしい詩であると判断した。

注

（1）永瀬清子『すぎ去ればすべてなつかしい日々』（福武書店　一九九〇年六月）八六ページ。

（2）永瀬清子「母の心配」。詩集『大いなる樹木』所収。典拠は『永瀬清子詩集』（昭森社　一九六九年五月）。

（3）永瀬清子「踊りの輪」。詩集『美しい国』所収。典拠は『永瀬清子詩集』（昭森社　一九六九年五月）。

（4）永瀬清子「元日」。詩集『美しい国』所収。典拠は『永瀬清子詩集』（昭森社　一九六九年五月）。

第九章　打木村治のこと　――「赤いコップ」と「みだれる季節」――

1

打木村治《うちきむらじ》は明治三十七年（一九〇四）四月に生まれ、平成二年（一九九〇）五月に亡くなった。享年八十六歳である。本名は保《たもつ》。生まれは大阪であるが、三歳の時から埼玉県の東松山に移住。早稲田大学政治経済学部を卒業し、大蔵省の税務官になった。東京の税務署に勤務していた時、川端康成の税務を担当した縁で川端を「文学の師」として尊崇する。以後、農民文学や児童文学で多くの作品を書き、高く評価された作品がある。昭和十年代には『支流を集めて』（昭和十四年）『自然の祭』（昭和十六年）等を刊行し、戦後は『天の園』（昭和四十七年）『大地の園』（昭和五十三年）等の長篇児童文学で活躍した。

2

わたくしは昭和四十七年（一九七二）十一月二十二日、埼玉県立川越高等学校で打木村治の講演を聴いた。演題は「川端康成氏の人と文学」である。この年、昭和四十七年（一九七二）の四月十六日、川端康成はガス自殺した。また、川端はその前の昭和四十三年（一九六八）、ノーベル文学賞を受賞した。ノーベル文学賞を受賞した四年後に川端は亡くなったのである。川端の自殺する前、昭和四十五年（一九七〇）十一月二十五日、作家の三島由紀夫が自決した。有名な作家が病気で亡くなったり老衰で亡くなったりするというのでなかったから、世の中は大騒ぎで人々の心が激しく動揺した。

そのような時、打木村治から川端康成の話を聞いたのである。

打木は白髪の頭を時々掻き回しながら、川端についての思い出を語った。一番わたくしの心と頭に残っているのは、川端の眼についての打木の話である。

打木は次のように語った。

川端先生が大きな眼でじろっと見るのは、もうわかっていることでありながら、これに何となく解説を加えたいような気が、私などはするんです。澄んだ眼で私もどのくらい見られたかわからないし、きれいだなとか、ほんとに怖いとか思っている人間なんですけれど、この眼のことについては、奥さんも随筆にお書きになっています。「あの眼は怖いです。誰でもじろっと見られたら怖いです」という意味のことを書いています。勿論、やさしい人ですから、内容がわかれば何も怖くはないのですが、やはり、一応誰でも怖いのです（注1）。

また、打木は次のように述べている。

川端先生が言葉少なにものを思索し、ものを書かれる時の、痛ましいばかりの苦しみを支える健康がどこにあるのかと思うのですけれど、あの人は非常に大胆ですね。これは誰もが言っています。図々しいくらいです。総理大臣に面罵されても、あの大きな眼でぎょろっと見て、しらばっくれていることができるくらい大胆なところがあると思いますが、そういう半面があるから先生が何か運命を背負って生まれてきたと思うんです。例の『末《まつ》期《ご》の眼』という文章の中でも言っておられるように、「残燭の炎のように、滅びようとする血が、いまわの果てに燃え上った、それが作家である」といった言葉が、心を打ちますね。これはとりもなおさず、ご自身であることは明らかです。ご自身を言っていると同時に、先生の作家観ですね（注2）。

打木の講演は六十八歳の時のものである。

3

打木村治の児童文学作品でかなり古いものがある。それは児童文学者協会編の『赤いコップ』（紀元社　一九四八年十一月）所収の作品「赤いコップ」である。これは児童文学者協会が編んだ〈少年少女小説選集〉で、中には次の作品が掲載されている。

奈街三郎……………兄とおとうと
岡本良雄……………ラクダイ横丁
北川千代……………冬をしのぐ花
猪野省三……………ぬすまれた自転車
片山昌造……………多賀さんと石田アヤ先生

木内高音……………寒雀
壺井　栄……………やなぎの糸
秩父芳朗……………明日の夕焼け
塚原健二郎…………風船は空に
打木村治……………赤いコップ

打木の作品「赤いコップ」は十七ページの短いものである。児童文学者協会の「あとがき」によると、この本に収録した十篇の作品は以前、幼年向きに刊行した『ねずみの町』の後編であり、もう少し年齢が高い少年少女向きの少年少女小説だという。つまり、童話ではない、というのである。しかし、「赤いコップ」は童話のようである。

作品「赤いコップ」は、高等学校の生徒進太郎が一年前、先輩（村越さん）の家を小学六年生の女の子（笹川ふたば）に尋ねたことから始まる。つまり、これは進太郎の回顧談である。

進太郎は子どもから家の場所を教わったが、どうも道がよくわからなくて再び、近くの家で尋ねることになる。

決心を決める前に彼は門の外から、花合戦の花のように玄関前をうずめているコスモスを眺めて、しばらく立っていた。「よし！」といって彼は門を入っていき、思い切って呼び鈴《りん》を押した。遠くで鈴《りん》の鳴る音がした。やがて内側に人の影が動いたかと思うと、鍵を外す音がして、ドアが静かにあいた。ドアにつかまった女の子は進太郎の顔を見て、にっこりとした。にっこりとしてから驚いたように、「あらーっ！」と言った。進太郎もびっくりして「あっ！」と言う前に、にっこりしてしまった。

「さっきはどうもありがとう。」

「いいえ、お家見つかった？」

「まだ見つからないんだよ。」

「まあ……」

「わたしの家、どうしてわかった？」

「どうしてって、あなたの名前なんか知らないもの、ぐうぜんさ。」

「ほんと？　ほんと？　うれしい！」

と、白いレースの襟飾りのある、濃い緑色のセーターを着たこの少女は、赤い鼻緒の下駄をはいてコスモスの下まで出て来た。ドアがパカンと開けっ放しなので玄関の中がよく見えた。壁の帽子掛けに、さっきのこの少女の背負っていたリュックサックが掛けてあり、そのリュックの真ん中に赤い遠足コップがぶら下がっていた（注3）。

この後、進太郎は少女を呼び止め、「ぼくね、とても喉が渇いているんだよ。水、飲ませてくれない？」と言う。少女は「飲ませてあげる」と言い、しばらくすると、「いっぱい水の入った赤い遠足コップ」を盆の上へ載せて持ってきた。進太郎はぐっと飲みほした。「もういっぱい」と言うと、少女は盆でコップを受け取り、井戸端へ行った。そして水の入ったコップを持ってきた。「もういっぱい」と進太郎は言い、少女は又、去っていき、また帰ってきた。

それから、少女のお母さんが「ちょっと寄っていらっしゃい」と言うので、進太郎は家に入り、パンをいただいた。お母さんが少女の名前を、ふたばというので彼は少女の名を知った。進太郎は自分の名字を伝えた。「名前は風影《ふかげ》進太郎といいます。」そして、ふたばにロシア文学の本をプレゼントした。

4

進太郎は四ヶ月ほど経ってから、本を返しに村越先輩の家に行き、その帰りに笹川さんの家を訪れた。二月の関東空っ風が吹く頃である。すると、お母さんが淋しく迎えてくれた。「まあ！」と驚いて進太郎を迎えてくれたが、うれしそうな顔は一瞬だった。見る見るうちに顔はぼおっと濡れたように赤くなった。進太郎はお母さんの普通でない動作や表情から、急に「胸の中が波立ってきた。」するとお母さんが言った、「ふたばは死にましたのよ。」

それから、進太郎はお母さんに続いて奥の一部屋に入った。祭壇の真ん中に大きく引き伸ばしたふたばの写真が、生きているようにこちらを見ていた。ふたばは、急性肺炎で亡くなったのだという。

（前略）彼は二月の夕風にマントをあおられながら帰路についた。ガラゴロ下駄で、ぽくりぽくりと、秩父の夕焼けが終り、頭上の空が黒ずみ、暗くなりかけた広い野道を駅に向かって歩いた。この道の上で、とうとう彼は悲哀に耐えられなくなった。寂寞《せきばく》の情が猛然と押し寄せてきた。彼はたまらなくなって、お母さんに頼んでもらってきた赤い遠足コップをポケットから取り出した。そして、星の明かりを頼るようにして、じっとそれを見つめた（注4）。

ふたばとの思い出の赤い遠足コップが進太郎には耐えられない思い出である。こんなに早く、あの少女は亡くなったのか。がっかりすると同時に、人間の生死というものはいつ起こるかわからないものだと知る。

わたくしはふと、川端康成の『伊豆の踊子』を連想した。作品の雰囲気は全く同じである。旧制高等学校の学生（二十歳）がふとしたことから、旅に出て伊豆で旅芸人の一行と出会い、その中の少女（踊子、十七歳くらい）と親しくなる。学生は踊子の少女と親しくなり、この人は子どもなんだと心に新鮮な清水を感じ、朗らかな喜びでことことと笑い続けた。学生は少女に本を読んでやると、彼女は目をキラキラさせて真剣に聞く。美しく光る、黒目がちの大きい眼は彼女の一番美しい持ち物だった。

学生に対して「いい人ね」という少女の物言いは、ふたばの物言いに似ている。いや、ふたばの物言いこそ、『伊豆の踊子』の少女の物言いを真似たものである。『伊豆の踊子』の学生（私）は孤独な性質と憂鬱さを持っているが、「赤いコップ」の学生（進太郎）は明るくて元気である。だから、学生の気質は異なっている。

『伊豆の踊子』は孤独な性質と憂鬱さを持つ学生（私）が旅で出会った少女に励まされ、元気づけられていくのだが、「赤いコップ」は明るくて元気な学生（進太郎）が明るくて元気な少女（ふたば）と出会い、その後しばらくして少女は亡くなる。がっかりして悲哀を感じるのは学生（進太郎）である。ストーリーからみると、『伊豆の踊子』の方が上昇的であり、読者の感動が高まっていく。それに対して、「赤いコップ」は下降的な悲劇である。悲劇はそれで文学的であるが、どうしても、突然の悲劇である。読者は悲劇の感動を味わうが、唖然としてなかなか腑に落ちない。しかし、これもまた、文学作品の読者を感動させる一つの方法である。

5

打木村治の作品集に『みだれる季節』（朱雀社　一九五九年五月）がある。中身は長篇小説「みだれる季節」と二つの短篇小説「未亡人の鐘」「美の経緯」である。最初わたくしは二つの短篇小説を読んで、昭和戦後の人々の悩み多い生活を知った。特に作品「未亡人の鐘」は戦争未亡人の久米子《くめこ》と作男の文三、この両者の心理が実に良く書けているので感動した。戦争未亡人の久米子が、戦争未亡人とその子どもたちのために「母子ホーム」を建設しようとして頑張るのには、読者として応援したくなる。

「未亡人の鐘」の終りは、戦争で妻と子どもを亡くした釜井が、戦争で夫を亡くした久米子と結ばれて結婚する。互いに肩を寄せ合って、力づよく生きていこうとするのだ。軽快なタッチの風俗小説だが、読者は何か温かいものを感じる。

長篇小説「みだれる季節」はヤングアダルト向きの作品である。これも昭和戦後間もなくの時代と社会を描いており、旧制の高等女学校を卒業した若い女性の生活が描かれている。中心人物は高等女学校を卒業して武蔵興業という会社に勤める青山タミ子と金谷三保である。そして、同じ会社に勤めるほぼ同年齢の社員京都真次がいる。タミ子と三保と真次というこの三人の関係がどうなるか、読者はハラハラしながらページをめくる。それと、もう一つこの小説の醍醐味は、青山タミ子が会社の社長山脇星太郎から手籠めにされるという悲劇である。しかし、タミ子は実は女学校時代にもそのような悲劇を受けた。それは教員の穴川終から手籠めにされ、心に深い傷を負っていた。それを両親にも隠していたのだが、或る時知り合った年長の女性剣持蝶子（飲み屋・バーでの通称名は赤木百合子）がそれを聞いて「人格清算」（相手の人格を清算する）の行動に出る。まず、山脇星太郎に会って、謝罪させる。それから、今度は新制の女子高校に行って、まず校長と話をする。校長にはあからさまなことは言わず、穴川教諭を呼んでくださいと言う。

さて、どうなるか、以下のとおり。

「ぼく、穴川ですが……」

と彼は百合子を見て、合点がいかず、ボーッと立っていた。その顔へ彼女はほとんど目に見えぬくらいの会釈で、微笑だけ漂わせた。それもいつもと違い、色彩の無い閃光がチ

ラッと走ったかと見えたほどの微笑だった。（中略）

「いったい、あなたは誰ですか。あなたのような人、ぼく知りませんが……」

と声をふるわせ、校長に、

「校長先生、自分はほんとに知らないんです。こんな人、ほんとです！」

校長は意外な出来事に不快な顔をしていたが、細くした眼の底に光を集めて、穴川に言った。

「知る知らんは別として、穴川君！　見ず知らずのこういう人に、しかもぼくの前でだね、こんなふうに扱われるっていうことは、いったいどういうことだね？」

「正直におっしゃい！」と、すかさず百合子。穴川は百合子をにらむ。百合子はまた続ける。

「ヒントを与えましょうか……？」

「うるさい！」と穴川、百合子に。そして校長の方に、

「こんなに扱われるおぼえはありません。シッケイな奴だ……！」

校長は穴川から眼をはなさなかった。

「それじゃあ、この女の人は気ちがいかね……？」

「……」

「さあ、どうだね？」

「そうかも知れません……」

百合子は静かに椅子から立ち上がった。そして窓の外を見た。築山の上には、真っ黒に生徒が集まっていて、こちらを見ていた。

「ホホ…穴川さん、耳を開《あ》けてお聞きなさい。校長先生もどうぞ。あなたの毒牙のギセイになった女学生の代理で来たのですよ。気ちがいではありませんよ！」

言い終わるや、百合子のキャシャな手が光のように穴川の頬に延びて、ピシャという音を立てた。（中略）

「校長先生、神聖なお部屋をお騒がせしまして申し訳ありません。後はよろしくお願いいたします。おひざ元のあの生徒たちの中からも被害者を出しませぬように……」

彼女は校長室を去り、大玄関から正門へ、芝生の道を行った。築山の上から生徒たちが見送っていた。

と突如、彼女たちの中から百合子の後ろ姿に向けて拍手を送るものがあった。百合子は振り返った。拍手は前よりも盛んに起こった。このありさまを校長は窓の内側から見ていて、これは一つの、穴川に対する世論であろうかと思った（注5）。

こういうことは今の学校にも、よくあることである。教員が児童生徒に性的暴力をふるったりする。こうしたことを如何に防ぐかが教育上の大きな課題である。百合子（本名、剣持蝶子）はこの後、タミ子らと共に「母子ホーム」を造ろうとする。それは作品「未亡人の鐘」で久米子が「母子ホーム」を造ろうとするのと同様である。女性が如何に生き生きと、しかも安全に暮らしていけるかが課題であり、理想である。また、そのような性的被害者や貧困の女性を救う施設や場所が必要不可欠である。

打木村治は大蔵省の税務官をやっていた時、川端康成のような文学者と知り合うことにもなったが、また、ある時は、貧困の家庭や、性的被害を受けた女性のことも知ることになった。その体験から彼の文学的土壌が形成された。わたくしは初め、打木村治はごく普通の文学好きの青年だと認識していたのだが、彼の作品をいろいろ読んでいくと、本質は正義感の強い、倫理的資質のある作家だと悟った。

さらに作中に、埼玉県の風景や、埼玉県にゆかりのある文学者（歌人の石川信夫、詩人の蔵原伸二郎など）の作品を引用したりして、風土的に興味ある作家だと認識した。これからも打木村治の作品を読む多くの読者が出現するであろう。

注

（1）打木村治「川端康成氏の人と文学」『研究集録』第十二号（埼玉県高等学校連合教育研究会・埼玉県高等学校国語科教育研究会　一九七三年三月）。
（2）前出（1）打木村治「川端康成氏の人と文学」。
（3）児童文学者協会編『赤いコップ』（紀元社　一九四八年十一月）所収の作品「赤いコップ」。「赤いコップ」は打木村治の作品である。引用は同書一八四〜一八五ページ。
（4）前出（3）児童文学者協会編『赤いコップ』一九六〜一九七ページ。
（5）打木村治『みだれる季節』（朱雀社　一九五九年五月）一七四〜一七六ページ。

第十章　ベートーヴェンの伝記二つ　――伊藤佐喜雄と高木卓――

1

音楽家ベートーヴェンについての伝記は興味深く読むことができる。音楽家として有名な人に、モーツァルト、ベートーヴェン、チャイコフスキー、ショパンなどがある。わたくしは音楽レコードとして好きなのはチャイコフスキー、ウェーバーなどである。

音楽家の伝記をたくさん読んだが、ショパンに関する『祖国へのマズルカ』が印象深く残っている。この本はショパンの生涯を中学生・高校生にも読めるように記した本である。作者はブロシュキェヴィチで日本語訳は吉上昭三《よしがみしょうぞう》。一九六九年（昭和四十四）五月、学習研究社から発行され、読書感想文の課題図書になった。第三版の発行は一九七〇年（昭和四十五）五月である。わたくしが手にしたのは第三版である。

ショパンと親しかったフランスの女性作家ジョルジュ・サンド（本名はアマンティーヌ＝オー

ロール＝リュシル・デュパン）を詳しく調べたことがあり、それでショパンの伝記をたくさん読んだ。病気がちのショパンを母や姉のように見守ったサンドは彼を地中海のマジョルカ島（＊フランス語に近い発音ではマヨルカ島）に連れて行った。ショパンはパリにいる友人に「ここはヤシやサボテン、柘榴《ざくろ》など、温室にある植物に囲まれ、青い海と空、それに天国にいるような空気です。」と手紙に書いた。しかし、冬になるとマジョルカ島は雨が多く降り、暖房設備の整っていない部屋にいた彼は咳が止まらない程、苦しくなった。そして、息が苦しい生活の中で彼は「雨だれ」（作品28の15）を作曲した。

春が近くなり、ショパンとサンド、それにサンドの子どもたちは船でスペインのバルセロナに向かった。この船には多くの豚が乗っていた。豚の体臭と鳴き声にショパンは苦しんだ。また、船長はショパンが時々、咳をするので嫌がって、彼を一番悪いベッドに寝かせた。船がバルセロナに着いたとき、ショパンはへとへとになっていた。そして、すぐにフランスの軍艦に助けを求め、軍医から診察を受けて薬をもらった。ショパンは幾らか元気になった。

しかし、パリにもどってサンドと暮らし始めたショパンは時々、故郷のポーランドのことを思い出す。「死ぬ前にもう一度、故郷の土を踏んでみたいなあ。」彼がそう言うと、サンドは「あなたはこの頃、いつもポーランドのことを言うけれど、フランスに不満があるの？」と言った。「いや、不満なんてない。ぼくは自分の生まれたポーランドを愛しているんだ。」その後、ショパンは祖国のためにたくさんのマズルカ（＊ポーランドの代表的な舞曲）やポロネーズを作曲した。

ショパンはサンドとその子どもたちと共に、夏はパリの南方のノアンに出かけた。そこで、しばらく体を休めたが、心はポーランドに向かっていた。サンドは祖国フランスに対する絶大な愛と誇りを抱いていた。それ故、二人の間に溝が深まった。

そして、サンドの娘が結婚することになった。このことでショパンはサンドと意見が対立し、二人は別れた。一八九四年、ショパンはパリで亡くなった。

ショパンの父はフランス人であったがポーランドで生活しポーランド国籍を取得した。したがって、ショパンには懐かしいポーランドであるが、フランスは父の生まれ故郷であった。さらに言うと、ショパンの父は若い時、ポーランドに来てフランス語の教師をしていた。ショパンの母はポーランド人でピアノが巧みだった。そして、二人は結婚した。ショパンには姉がいて、ピアノが巧みだった。姉がショパンにピアノを教えると、見る見るうちに上達した。それで、今度は母が教えることになった。また、母が教えるうちに、息子が驚くべき才能のあるのがわかった。それで、ショパンが六歳の時、ボイチェフ・ジブニーという偉い先生にピアノを教わることになった。

ショパンの生涯の初期についての略伝はこのとおりである（注1）。

次に述べるのは、長谷川千秋《せんしゅう》（一九〇八～一九四五）についてである。彼の著書には『ベートーヴェン』（岩波書店＊新書　一九三八年）『ショパン』（新潮社＊新伝記叢書　一九四三年）等がある。長谷川は小宮豊隆（当時、東北帝国大学教授。専攻はドイツ文学。夏目漱石の門下生）の私的助手となり、東北地方の神楽の詞と音曲の採取を行った。このことは小宮が詳しく記している。それはまた、別の論考で述べることにする。

本稿で主として述べるのは、ベートーヴェンに関する児童生徒用の伝記である。これはたくさんあるが、ここで取り上げるのは次の二冊である。一つは伊藤佐喜雄の『ベートーベン』（偕成社＊児童伝記全集第10巻　一九六五年六月）であり、もう一つは高木卓の『ベートーベン』（講談社＊少年少女講談社文庫Bの12　一九七三年七月）である。ところで現在、ベートーベンの表記はベートーヴェンが一般的である。よって、これから述べる二書からの引用はベートーヴェンに改めて表記することにする。

2

幼いベートーヴェンが母に連れられ船で旅をする場面がある。それは一七八一年の頃である。

まず、伊藤佐喜雄の文章を見てみよう。それは次のとおりである。

ルートヴィヒは十一歳の少年になりました。ピアノの上手なことはボンの町でも評判になっていました。そこでお父さんはルートヴィヒをオランダへ演奏旅行にやることにしました。演奏旅行というのは旅をして、行った先々でピアノやバイオリンなどを弾いて聞かせることです。

十一月のある日。ルートヴィヒはお母さんと一緒に船に乗り込みました。ライン川を下っていくと冷たい川霧が立ち込めて、寒くてたまりません。ルートヴィヒは体をちぢこめました。

「さあ、これで体をお包み。風邪でも引いたら大変よ。」とお母さんは自分の肩掛けを外《はず》して、ルートヴィヒに巻き付けてくれました。

やがてオランダの田舎の景色が見えてきました。きれいなお花畑。くるくる回る赤い風車。「ああ、亡くなったお爺さんが話してくれたとおりだよ、お母さん。」ルートヴィヒは目を輝かせて叫びました。

懐かしいお爺さんの国、オランダ。船はその国の都アムステルダムに着きました。着いたあくる日からルートヴィヒは貴族やお金持ちの屋敷に招かれて、ピアノを弾き続けまし

た。どこでも大変な人気です。(中略)
やがてルートヴィヒとお母さんはアムステルダムを離れ、ライン川をさかのぼってボンに戻ってきました。
待ちかまえていたお父さんは演奏旅行がうまくいったと聞いて、たいそう喜びました。しかし、ルートヴィヒがご褒美《ほうび》としてもらってきたものがおもちゃやお菓子ばかりだということがわかると、「何だ、お金は一文《いちもん》ももらってこないじゃないか。」とがっかりした様子で、椅子に腰を下《お》ろしてしまいました(注2)。

高木卓の文章を見てみよう。それは次のとおり。

「いやだけれども仕方がないや。……ぼく、がんばるよ。音楽は好きだから。――今に、モーツァルトに負けない音楽家になるよ。」十歳のルートヴィヒ少年は船の窓から川沿いの景色を眺めて、リンゴをかじりながらそう言いました。
「ルートヴィヒがそう言ってくれると、ほんとにお母さんは嬉しいし、心強く思うよ。……どう、このモーゼル葡萄酒、いっぱい。――水を割ってお砂糖を入れてあげるから。」
お母さんは先ほどケルンで葡萄酒を一瓶買ったのですが、これは大変珍しいことで、日ごろ酔っぱらいのお父さんに悩まされているお母さんも旅先では自分も一口飲んでくつろぎたいと思ったのでしょうか。

少年は詳しいことは知りませんでしたが、お母さん（名はマグダレーナ）は実はごく若い時結婚して、夫に死なれ、二十一歳の時、今の夫（名はヨハン）のところへ二度目のお嫁入りをしたのです。そういうわけですから家庭では夫に対して、大変遠慮するようになったのでしょう。

「ぼく、いいから、お母さん、うんとお飲みよ。旅では気晴らしが一番いいのさ。」十歳のルートヴィヒ少年はたいへんませたことを言いましたが、確かにベートーヴェンの長男ルートヴィヒは年《とし》にしてはもう、いろいろ苦労してきたのです。あのケルンの演奏会から今度のオランダ行きの旅までの三年半ほどの間には、ルートヴィヒ少年はライン地方の小さい町々を父に連れられてたびたび、少年ピアニストとして巡り歩いたものでした。

しかも、残念ながら当代一の大音楽家モーツァルトが少年時代に、東はウィーン、西はパリ、さらにロンドンと、大演奏旅行をしたのに比べると、ルートヴィヒ少年の演奏旅行は世に言うどさまわり（＊いなかめぐりの興行）のようなものだったのです。（中略）

船がデュッセルドルフを過ぎ、さらにデュイスブルクを過ぎると、ライン川の両側はもう、山らしい山はなく、しだいに大平野へ入る感じになり、川筋もいつともなく左（＊西側）の方へ大きく曲がっていきました。夕日に金色の川波をたてながら、静かにゆったりと流れているライン川でした（注3）。

ここでのルートヴィヒ少年は十歳だというのに、ずいぶんませたことをお母さんに言う。前掲の伊藤の文章ではルートヴィヒ少年は十一歳とあるが、彼の生まれたのは一七七〇年十二月の十六日だとされている。一七七二年を一歳と数えると、少年時にオランダへ演奏旅行したのは十歳の時ということになる。一七八一年十一月である。彼はお母さんと一緒にボンの船乗り場から、ライン下りの大きな船に乗り込んだ。

彼が母と旅行したのはおそらくこれが初めてであり、これが母との最後の長い旅行だったと思う。というのは、母は一七八七年七月、四十一歳で亡くなった。ルートヴィヒは十六歳である。父は大酒のみであるが、母よりも後の一七九二年十二月に亡くなる。享年五十二歳である。ルートヴィヒはその時、二十一歳である。

ルートヴィヒは男ばかり三人兄弟の長男である。三つ年下の次男はカールで、五つ年下の三男はヨハンである。

また、ルートヴィヒには父方の祖父がいた。この祖父はオランダからドイツに移ってきてドイツの女性と結婚した。そして、生まれたのがルートヴィヒの父である。よって、ルートヴィヒの父はオランダ人とドイツ人のハーフである。ルートヴィヒ少年は国籍はドイツ人だが、オランダ人の血が混じっていたのである。

ルートヴィヒ少年の祖父は、若い時、オランダからドイツへやって来て、ボンで宮廷歌手となった。音楽家であり、後にはボン宮廷の楽長になった。そして、父も音楽家で、宮廷のテノール歌手となった。しかし、酒好きで、喉《のど》を傷《いた》めた。それで、息子のルートヴィヒを音楽家にしようと彼を厳しく指導した。

祖父はルートヴィヒが二歳の時、亡くなった。享年六十七歳。ルートヴィヒは五歳の頃から父にピアノを習い、八歳になると父の知り合いのピアニスト、プファイファーからピアノを習った。小学校に通って勉強もしたが、父は息子にピアノの他に作曲も習わせるため小学校を退学させた。そして、一七八一年十一月、母に付き添われてオランダへ行った。その時のことは前に述べたとおりである。

十一歳になると、彼は宮廷のオルガニスト助手になる。医学生のウェーゲラーと親しくなる。ウェーゲラーは終生の長い付き合いの友人である。そして、初めて作曲し、出版する。

ベートーヴェンの幼年及び少年時代は、このようである。

3

ベートーヴェンには好きな女性がいたが、生涯、独身であった。弟カールが早く死んだので彼の息子の面倒を見るようになった。それは一八一六年一月のことであり、ベートーヴェンはこの年四十五歳になる。

ベートーヴェンのすぐ下の弟カールが一八一五年十一月、四十歳で亡くなった。カールには妻と息子（八歳）がいた。

甥（カールの息子）は初め純情でベートーヴェンによくなついた。そして、ベートーヴェンは甥を学塾に入れた。学塾は寄宿舎付きの学校である。甥は伯父のベートーヴェンに「ここは待遇が悪い。それに、音楽の勉強を充分やってくれない。」と言うと、伯父は真剣になって彼を引き取った。

しかし、甥は成長するにしたがって、だんだん反抗的になり、大きくなると不良青年になった。また、時にはベートーヴェンに「おじさんはすばらしい音楽家ですね。」とお世辞を言った。そして、甥は勝負事に夢中になった。ベートーヴェンは甥を将来、芸術家か学者にしたいと考えていたが、本人は軍人になりたいと言った。ベートーヴェンが「軍人はよくないね。」というと彼は商人になると言った。

ベートーヴェンは弟カールの妻と、甥を奪い合う争いを繰り返した。法廷での争いは一八二〇年四月に終わった。判決はベートーヴェンの勝利だった。甥は十三歳。

それから、ある時（一八二六年）、ベートーヴェンは不良の甥（十九歳）を大声で叱り飛ばした。すると、甥はピストルで自殺しそうになった。ベートーヴェンは甥に「良い人間になれ！」と言ったことが、逆になったのである。甥は少年時代、伯父のベートーヴェンをたいそう尊敬していた。しかし、甥はだんだん大きくなり成長していくと、「おじさんはすばらしい音楽家ですね。」という言葉が尊敬ではなく、意識的なお世辞になったのである。このような甥の心の変化や成長を伯父のベートーヴェンは見抜くことができなかった。

甥が自殺を図ったのは、ベートーヴェンから怒られた事ばかりではなかった。遊びの金を高利貸から借りていて逃げきれなかった。それに、学校へも行ってなかった。

当時、自殺は「大きな罪」とされていて、甥はウィーンから追い出されることになった。それで、ベートーヴェンは甥を軍隊に入れ、追い出されるのを避けた。

それから、甥が入隊するまでに何日か余裕があったので、ベートーヴェンは甥をもう一人の弟ヨハンの家へ連れて行った。ヨハンは財産家となっていて二人を歓迎した。しかし、ヨハンの妻は歓迎しなかった。ある時、ヨハンの妻は彼ら（ベートーヴェンと甥）を召使と同じ部屋で食事をさせることにした。その時、甥はまだ家へ帰ってこなかった。ベートーヴェンは怒って

「すぐに帰る」と言って外に出た。そして、吹雪の中を何時間も荷馬車に乗って自宅に帰った。そして、我が家に落ち着くと、すぐに寝込んでしまった。

それから、ベートーヴェンが一進一退の症状を繰り返していた時、偶然、シューベルトが見舞に来てくれた。シューベルトはその時、三十歳。ベートーヴェンは五十六歳。病床のベートーヴェンはシューベルトの曲「美しい水車小屋の娘」を絶賛した。

それから数日後（一八二七年三月二十六日午後六時）、ベートーヴェンは亡くなった。その時、甥は軍隊に入っていて留守だった。甥は二十歳だった。

4

ところで、ベートーヴェンのもう一つの大きな苦しみは、耳を悪くしたことである。それは弟カールの死よりも十五年前のことである。一八〇一年四月のことである。ベートーヴェン三十歳である。ナポレオンがアルプスを越えてオーストリア軍を倒した年の翌年である。ベートーヴェンは当初、ナポレオンを尊敬し、「ナポレオン」と題する交響曲を作った。しかし、一八〇四年、ナポレオンがフランス皇帝となったので、「あいつは民衆の友ではない。民衆の上に胡坐《あぐら》をかき、自分の野心を満たす、そんな奴だ。」と怒り、交響曲の名を「英雄」と変えた。

ベートーヴェンの耳が悪くなったのはウィーン会議が始まった一八一四年九月頃である。彼は四十三歳。ウィーン会議はナポレオンが敗北した後のヨーロッパ再分割と旧勢力復活を議論したものであり、メッテルニヒ（オーストリアの政治家）が主宰した全ヨーロッパ会議である。

この頃から彼の耳はほとんど聞こえなくなった。彼はよく、会話ノートを使う。家では石筆と石盤を使った。耳が聞こえないというのは音楽家にとって当時、大変な災難であった。助手のリースがラッパを小さくした、角笛のような補聴器具を用意してくれた。また、石筆と石盤を用意してくれた。そのようにしてベートーヴェンはどうにか耳の苦痛を乗り越えることができた。

そして一八二四年、ベートーヴェンは荘厳ミサ曲と第九交響曲を完成し、それを初演することになった。その指揮をとったのがベートーヴェンである。彼は耳が悪いので、もう一人の指揮者をつけた。

その時の演奏会の様子を伊藤佐喜雄は次のように綴っている。


やがて待ちに待った第九交響曲の演奏が始まりました。人々はこのたとえようもない素晴らしい音楽にたちまち心を引き付けられてしまいました。特に第二楽章が終った時は劇場を揺り動かすような盛んな拍手が巻き起こりました。（中略）曲が進むにつれて人々の感激は、ますます高まっていきました。（中略）

ベートーヴェンは演奏の間、まるで気ちがいのように夢中になって指揮をとっていました。けれど、オーケストラの音は何一つ、ベートーヴェンの耳には聞こえなかったのです。（中略）悲しいことに人々の叫び声も拍手の響きもベートーヴェンの耳には入りませんでした。

「先生。客席の方をご覧になって。」と、合唱団の一人の女の歌手がそう言って、ベートーヴェンを客席の方に向かせました。（中略）はじめてベートーヴェンは人々がどんなに今の演奏に心を動かされたかに気がついたのです。盛んに振られている手や、ハンカチの波でそのことがわかりました（注4）。

この演奏会の同じ様子を高木卓は次のように綴っている。

ほかの指揮者による荘厳ミサに続いて、いよいよ「合唱交響曲」（第九）が初演されることになり、ベートーヴェンが舞台に姿を現すと、会場は割れるような大拍手です。

ベートーヴェンの指揮棒がひらめくや、バイオリン群が神秘的な音を響かせ始めたかと思うと、間もなく全楽器が力強く第一主題をとどろかせました。その厳《おごそ》かな激しさは何かぞっとさせるほどです。

曲が進むにつれて聴衆はその凄《すさ》まじい迫力に、心の底から揺り動かされました。ベートーヴェンの脇に、座付きの指揮者ウムラウフも立って一緒に指揮をするという珍しい二重指揮の演奏でしたが、聴衆の目はベートーヴェンの必死の身振りに注がれています（注5）。

そして、全曲が終った時の様子を高木は次のように綴っている。

わあっ、わあっ、わあっ、——嵐のような熱狂の大拍手と大歓声が劇場全体を揺るがします。それなのに、何ということか作曲者であり指揮者でもあるベートーヴェンは、聴衆に背中を向けたまま立っています。あわれ、嵐の大拍手もぜんぜん聞こえないのでした。独唱歌手の一人で若いソプラノのウンガーという女性がいち早く近寄って「先生っ。」とベートーヴェンに両手をかけ、くるりと聴衆の方へ向き直らせました。ベートーヴェンは初めて聴衆の熱狂的な大喝采《だいかっさい》を知り、五十三歳の白髪混じりの頭を深々と下げます。満員の聴衆は又も気ちがいのような大喝采を送るのでした（注6）。

こうして読んでくると、伊藤の文章も高木の文章も、書いてあることそのものに大きな違いはない。しかし、伊藤の文章はベートーヴェンそのものに寄り添うようにベートーヴェンの心情を中心に描いている。それに対して高木の文章はベートーヴェンのみに焦点を当てるのでなく、観客やソプラノの女性や補助の指揮者なども充分視野に入れて描いている。

ところで、高木の文章にも誤謬がある。「ソプラノのウンガーという女性」とあるが、ウンガーはソプラノではなく、アルトの歌手だった(注7)。これは些細なことだが、注意を促しておく。

それにしても、この時の演奏会はベートーヴェンにとって最大最終の演奏会であった。

第九交響曲の最終楽章はドイツの詩人シラーの詩「喜びに寄せる歌」の独唱と合唱を含む。それ故、アルトの女性も出場していたのである。つまり、第九交響曲は独唱・合唱付きの交響曲である。

シラーの詩「喜びに寄せる歌」(簡単に言うと「歓喜の歌」)の紹介を高木は次のように記している。

「喜びよ、神々の麗《うるわ》しい煌《きらめ》きよ。

楽園の娘よ。
天国の者よ、吾々は熱《あつ》い陶酔のうちに、
御身《おんみ》の清らかな殿堂に入っていく。……」

シラーの詩は人間をはじめ万物が「喜び」によって幸福にされることを歌った長篇詩です（注8）。

第九交響曲の演奏は日本では近年、冬の十二月によく行われる。しかし、この曲がベートーヴェンの指揮で初演されたのは、五月七日である。それは高木の本にも他の本にも出ている。

それではなぜ日本ではベートーヴェンの第九交響曲を十二月に演奏するのだろうか？ その答えはこうである。それは大正時代の末期、関東大震災の翌年の大正十三年（一九二四）十二月、東京音楽学校（現在の東京芸術大学）で初めて第九交響曲が演奏された。それは既に述べた第九初演（一八二四年）からちょうど百年にあたる。このことは当時の新聞に大々的に報道された。よって、今も日本ではベートーヴェンの第九交響曲を十二月に演奏するのである。

また、ベートーヴェンが第九交響曲を指揮した会場は、ウィーンのケルントナ・トーア劇場である。この劇場は一七〇九年に開場され、一八七〇年、ロッシーニの「ウィリアム・テル」の上演を最後に閉じることになった。そして、現在はこの地にホテルが建っている。

5

それから、もう一つ、ベートーヴェン関係の興味深い本に兼常清佐の『ベートーヴェンの死』（岩波書店　一九二七年三月）がある。ベートーヴェンの百年忌を記念して出版した本である。

この本にはドイツのボンにあるベートーヴェン博物館のことが詳しく述べてある。わたくしは今から二十年ほど前に、この博物館を訪れた。一番印象に残っているのは角笛のような補聴器具（＊兼常清佐の著書では「聴音器」と記してある）である。「これはどのように使うのですか?」とわたくしが学芸員の方に聞いたら、それはこのように使うのですと言って、耳にあてて示してくれた。ラッパのような器具で大きく開いた方を外の方に向け、小さな方は耳に近づけるというのである。やってみると、小さな音や低い声でも、幾らかよく聞き取れた。なるほど、ベートーヴェンはこういう器具を使っていたのだと感心した。

ところで、兼常は大小四つの聴音器を見た感想を次のように記している。

ラッパのような管であります。一度こんなものを見ると、楽人として何よりも大事な聴覚を失ったこの哀れな天才の生活に、誰も同情を禁じ得ないでしょう（注9）。

他にベートーヴェンの使ったピアノがあった。耳の悪い彼のために音が強く出るように特別発注の線を使ってある。また、彼の書いた音譜がある。大きな字で書いてあるが、わたくしには一つも読めなかった。

また、彼がずっと壁に飾ってあった伯爵令嬢テレーゼ・フォン・ブルンスヴィックの肖像画がある。テレーゼは生涯、独身だった。ベートーヴェンにとって、心の永遠の恋人であった。ベートーヴェンは一七九八年、テレーゼを知った。彼は二十七歳。彼女は二十三歳。二人は長い間、付き合ったが、結婚しなかった。それは当時の社会の風習で結婚できなかったのである。それは貴族でなく平民生まれの彼は当時の習わしに背いて彼女と結婚することはできなかった。それはモーツァルト、ハイドンもそうであった。当時は西洋も身分制度が厳しかったのである。

このようなことを記しているときりがない。そこで、いよいよこの文章を閉じようと思う。ベートーヴェンは一八二七年三月二十六日午後六時に亡くなった。そして、埋葬式は同月二十九日午後三時から行われた。柩の上にのせる勲章は一つもなかった。埋葬式に参列した人は約二万人。後輩の作曲家シューベルトも葬列に加わった。

遺書には甥に「私の動産と不動産の全て、その中には主要なものとして七株の銀行株券と、現金として現存するものを含むすべて」を相続させると記してあった（注10）。その他は弟のヨハンや知人に形見分けがあり、残ったものは競売に付された。さらに、ベートーヴェンは本棚に二冊の禁断の書物を残していた。それは警察に押収された。

柩はウィーンのウェーリング墓地に埋葬されたが、後に中央墓地に移された。中央墓地はウィーンの郊外にあり、大きな墓地である。しかし、この墓地のベートーヴェンのお墓には彼は眠っていない。彼の死骸の骨はウェーリング墓地に眠ったままである。

ウィーンの町はベートーヴェンの死後、市区改正により古いものがそのまま保存され残されるということが不可能になった。ウィーンの町全体を発展させるためには、古い名所や旧蹟が多少犠牲になっても止むを得ないという考えが政治家などの間で主流となったからである。したがって、中央墓地にあるベートーヴェンのお墓は実に立派であるが、そのお墓の下に彼は眠っていない。角錐形の白くて高い墓石であり、下部の台石にBeethovenと刻まれている。また、墓石の中央には竪琴（ハープ）の絵が描かれている。これは音楽家の墓石だという目印である。

ベートーヴェンの生涯はまさにドラマチックである。

映画や演劇にしても充分に見どころのあるものとなるだろう。

注

（1）ショパンの生涯については様々な本があるが、わたくしが推奨するのは長谷川千秋『ショパン』（新潮社＊新伝記叢書　一九四三年五月）、ブロシュキェヴィチ作・吉上昭三訳『祖国へのマズルカ』（学習研究社＊少年少女学研文庫　一九七〇年五月第三版）、田《でん》哲平＝シナリオ・中本力《りき》＝作画『音楽まんが　ショパン』（音楽之友社　一九八七年六月）である。また、ショパンとサンドとの関係については長塚隆二『ジョルジュ・サンド評伝』（読売新聞社　一九七七年九月）が参考になる。

（2）伊藤佐喜雄『ベートーベン』（偕成社　一九六五年六月）四五～四九ページ。平仮名の表記は適宜、漢字に改めた。

（3）高木卓『ベートーベン』（講談社　一九七三年七月）二一～二三ページ。平仮名の表記は適宜、漢字に改めた。

（4）前出（2）伊藤佐喜雄『ベートーベン』一八九～一九一ページ。

（5）前出（3）高木卓『ベートーベン』一六五～一六七ページ。

（6）前出（3）高木卓『ベートーベン』一六七～一六八ページ。

（7）山根銀二『ベートーヴェンの生涯』（岩波書店＊ジュニア新書　一九七九年六月）一七二ページ参照。

（8）前出（3）高木卓『ベートーベン』一六四～一六五ページ。

（9）兼常清佐『ベートーヴェンの死』（岩波書店　一九二七年三月）三〇ページ。旧漢字旧仮名遣いは現代表記に改めた。

（10）前出（7）山根銀二『ベートーヴェンの生涯』一九九～二〇〇ページ参照。

第十一章　スーホの白馬・ベイヤール・タロー他

――三匹の馬の話（大塚勇三・堀内誠一・植松要作）プラス幼いロバの話――

1

馬の話をします。わたくしは馬が大好きです。馬に関する本をたくさん持っています。なぜなのでしょう？　自分にもよくわかりません。しかし、どういうわけか実物の馬を見るよりも、物語の中の馬を実際の馬のように思ってしまうのです。

そこで、今日は三匹の馬の話をしたいと思います。まず、馬の名前を述べます。スーホの白馬（名前はありません）・ベイヤール・タローです。この三匹の馬のことがわたくしの頭から離れないのです。なぜなのか、それを自己分析しながら皆さんにお伝えします。

まず、スーホの白馬です。この馬のことは小学校の国語教科書で知っている人が多いでしょう。モンゴルの民話であり、大塚勇三さんが再話し、赤羽末吉さんが絵を描いています。次のベイヤールですが、これは絵本画家の堀内誠一さんが描こうとして描けなかった「幻の絵本」の馬です。そして、最後のタローは植松要作さんの作品『学校に馬がやってきた』（ポプラ社　一九七五年六月＊第三版）で、絵を横内襄《よこうちじょう》さんが描いたものです。横内さんは石井桃子の絵本『ちいさなねこ』（福音館書店　一九六三年五月）の絵を描いた画家です。

ところで、最後にクリスマスのプレゼントに一冊の絵本を紹介したいと思います。これも、もちろん馬の話です。どうか最後までお楽しみください。

2

さて、スーホの白馬の話です。この話について、わたくしは以前少し、面白くないと述べたことがあります。

わたくしはこの物語の結末を見て、どうも腑に落ちない気がした。傲慢で悪辣な殿様に誰も仕返しをしないのだろうか？　そうでないと、この話は弱い人々が苦しみに耐えながら、別の仕方で明るい方へ向かうという「そらし話」のように思える。
赤羽末吉の絵はとても迫力があり、すばらしい。しかし、話の方はどうもすっきりしない。悲しい、涙にあふれるばかりの悲惨な話である（注1）。

スーホの白馬が殿様に取り上げられるが、白馬は殿様の所から逃げてスーホの家に帰ろうとする。そうすると、殿様は家来に「白馬にたくさんの矢を射《い》よ」と命じる。白馬は体にたくさんの矢を浴びながらスーホの家に帰って来る。「自分の家」に戻りたい、そして、愛するスーホに会いたいという気持があふれている。白馬を憎い奴だ、殺してやると思う殿様（支配者）のそのような傲慢さに、わたくしは今も昔も、権力者（支配者）はこのようなことをするのだろうと察した。

それならば、一般の民衆はどうするのだろうか。仕方がない。そう思ってあきらめるのだろうか。モンゴルの民話『スーホの白い馬』の結末は、殿様に殺された白馬の死体からスーホは骨、皮、筋、毛を用いて楽器を作った。それが馬頭琴である。

『スーホの白い馬』の終りは次のとおりである。

> スーホの作り出した馬頭琴は、広いモンゴルの草原じゅうに、広まりました。そして、

羊飼いたちは、夕方になると、寄り集まって、その美しい音に、耳を澄まし、一日の疲れを忘れるのでした（注2）。（＊原文の平仮名は適宜、漢字に改めた。以下同様）

この前の部分には、「スーホは、どこへ行く時も、この馬頭琴を持って行きました。それを弾くたびに、スーホは、白馬を殺された悔しさや、白馬に乗って、草原を駆け回った楽しさを、思い出しました。」というのがある。スーホは殿様に白馬を殺された悔しさを感じているのだ。しかし、この作品ではスーホが殿様に白馬を殺された悔しさよりも、馬頭琴を弾く楽しさに変わっていく。この変化が、わたくしにはどうも満足できなかった。

3

『スーホの白い馬』に似た話があります。それは児童文学作家の斉藤惇夫さんが述べられた文章「幻の絵本」です。この文章をわたくしは瀬田貞二を偲ぶ会の記念誌『汐の香』（おうむぶんこ　一九八八年五月）で読みました。おうむぶんことというのは、兵庫県姫路市木場にある正福寺にあります。わたくしはそのお寺で瀬田貞二さんについて講演をしたことがあります。わたくしよりも一年前に講演されたのが斉藤惇夫さんです。

さて、斉藤惇夫さんが述べているのは、絵本画家の堀内誠一さんが描こうとして描けなかった「幻の絵本」の馬の話です。それはフランスの伝説であり、ベイヤールという名馬の話です(注3)。

フランスにはシャルルマーニュという大帝がいました。現在のドイツ・イタリア・フランスにまたがる大帝国を建設した人です。七四二年に生まれ、八一四年に亡くなったといわれています。ずいぶん昔の話ですので、これからお話しするのはフランスの伝説と考えていいでしょう。

アラビア半島にあったイスラム帝国の軍隊と勇敢に戦ったフランスのドルドーニュ公は、シャルルマーニュ大帝からピレネー山脈の近くの土地をもらい受けました。その土地は大帝の住む宮廷からずいぶん遠くにあったので、ドルドーニュ公は大帝から忘れられていきました。しかも、その土地は砂利が多く、作物があまり育ちませんでした。しかし、ドルドーニュ公には元気のいい子どもたちがいました。姉はブラダマント、弟たちは四人いて、年の順からルノー(長男)、ギシャール(次男)、アラール(三男)、リシャルデ(四男)。ルノーは元気で勇敢です。ギシャールは絵を描くのが上手です。アラールは歌をうたうのが得意です。それにリシャルデは賢くて知力があります。ところで、子どもたちのお母さんは、リシャルデを産んだ後、間もなく亡くなりました。

四人の男の子たちはこんな田舎から脱け出して、もっとにぎやかな町に行きたいと思っていた。しかし、馬がない。困ったなあと悩んでいたら、姉のブラダマントが自分の宝石を売って馬を買えばいいと言いました。それで姉は宝石を売りに行くが、買いたたかれ、わずかなお金しか得ることができなかった。

また、みんなが困ったなあと悩んでいたら、仙女のオルランドが出て来た。オルランドがブラダマントにこっそりと呟《つぶや》いた、「明日、弟たちに家の壁に、欲しいと思う馬の絵を描かせなさい。そうすると、太陽が一番高い所に昇った時、あなたの喜ぶことが起りますよ。」それから、オルランドがもう一つ付け加えた、「もし弟たちが馬に乗っている時、困ったことが起ったら一度だけ助けてあげます。その時、私の名前を呼ぶように伝えてください。」そう言ってオルランドは姿を消した。

4

この「幻の絵本」の話はまだ、続きます。

姉のブラダマントと四人の弟は、翌朝、さっそく家の壁の前に立ち、ギシャールが木炭のかけらで「すばらしい馬」の絵を描いた。それを見ていた長男のルノーは馬具の全てを描き加えろと言い、三男のアラールは立派な鬣《たてがみ》と地面を掃《は》くほどの立派な尾を付けろと言った。また、四男のリシャルデは馬の眼に「情熱と知性」を加えてほしいと頼んだ。そうして、みごとな馬の絵が出来上がった。

姉のブラダマントはその絵を見て嬉しいと思ったが、不安な気持ちもあった。弟たちはわあわあ言いながら喜んでいるが、もしも仙女オルランドの言ったことが幻に終わったらどうなるだろうと、ビクビクした。

そのうち、壁の石がぐらぐらと魔法のように動き出した。子どもたちが固唾《かたず》を呑んで見ていると、壁に描かれた馬が外に飛び出した。身の丈も、逞しさも、すべて絵に描かれた馬そっくりである。

子どもたちは声をそろえて、「ベイヤール！」と叫んだ。これは黒鹿毛《くろかげ》という意味である。それから、四人の兄弟はこの馬に誰が乗るかと話し合うが、姉のブラダマントが「この馬は背骨は長いし、丈も高い。それに四本の足もがっちりしているから四人を一緒に乗せられる。」と言った。

それから、ベイヤールと四人の若者の話はヨーロッパじゅうに広まっていく。すると、シャルルマーニュ大帝から父親のところに手紙が届く。父親は感動し、子どもたちは父と共にパリに行くことができ、大帝の宮廷が見られると喜んだ。しかし、四男のリシャルデだけは危険だと躊躇した。姉のブラダマントはリシャルデに「もし危険が迫ったら、一度だけ仙女のオルランドを呼びなさい。」と言った。

そして、パリで競馬大会が開かれた。帝はシャルルマーニュ大帝が馬の走るのを見物する。馬のベイヤールは毛が白くなっていて、大大帝は「あの馬は年をとっているのではないか。」と呟いた。大会が始まると、ベイヤールは老いさらばえた馬らしく、息苦しく走り他の馬たちに抜かれて、どん尻になる。先頭を走る馬がゴールに近づきかかった時、急にベイヤールが首を延ばして飛び出し、稲妻のように全部の馬を抜き、ゴールを越え、大帝の前にピタリと止まった。大帝の傍にいた家来が言った、「あの馬は大帝のものです。若者たちの持つべきものではありません。」すると、大帝は「山のような金貨を与えるから、あの馬を譲ってくれ。」と四人の子どもたちに言った。

四人の子どもたちそれぞれに、激しい悲しみが湧いた。そして、長男のルノーが言った、「ベイヤールはわたくしどもにとりまして、かけがえのない宝ですし、全財産でございますからお譲りするわけにはまいりません。」すると、大帝は烈火のごとく怒り、「無礼者どもをひっとらえろ！」と叫んだ。居合わせた貴族や兵士は馬場に飛び降り、馬のベイヤールと四人の子どもたちに迫った。

馬のベイヤールは四人の子どもたちを乗せて、パリの街をどんどん走った。

5

さて、この後、馬のベイヤールと四人の子どもたちはどうなるのだろうか？　わたくしは興味津々だった。

もしかすると、『スーホの白い馬』のように殿様（大帝）の家来に追いかけられて、ベイヤールは矢を射られ、刀で傷つけられ、しまいには死んでしまうのではないだろうか。四人の子どもたちは兵士に捕まって、しまいには処刑されるのではないだろうか。そのような心配と不安が沸き起こった。

ベイヤールと四人の子どもたちの続きはこうである。

ベイヤールと四人の子どもたちを追いかける兵士たちは、たちまちにして離され、射かけられる矢は馬のはるか後方に落ちる。四人の子どもたちを乗せたベイヤールはやがて、街のはずれの城門に着いた。城門を守る役人たち（守衛たち）は一頭の馬が四人も乗せているのを見て、「これは誘拐を企てるのだ！」と思って、跳《は》ね橋をおろすのを拒絶した。

それで、四人の子どもたちは別の出口を探そうとして引き返し、大路小路を駆け巡った。すると、追手の兵士たちは彼らを見つけて、鳥籠の中の小鳥を狙うように彼らに接近してくる。「もう駄目か！」四人の子どもたちは諦めかけていた。

その時、四男のリシャルデに閃《ひらめ》きが起った。「そうだ。姉さんの言ったこと……」リシャルデが大きな声で叫んだ、「仙女のオルランドさま、ぼくたちを助けてください！」

すると、不思議なことが起った。馬のベイヤールが道路の脇にある壁に寄りかかると、馬も四人の子どもたちもすうっと消えていった。後からやって来た兵士たちがその壁を見ると、たくましい馬と四人の男の子の絵が描かれていた。

それから数日後、また、数か月後、さらに数年後、この四人の子どもたちの話はぴたりと消えてしまった。しかし、壁の上に描かれた馬と子どもたちの絵はいつまでも残り続けた。

6

この名馬ベイヤールと四人の子どもたちの話は、画家の堀内誠一が作家の斉藤惇夫に語ったものだそうだ。確かに興味深い話である。斉藤惇夫は『グリックの冒険』『冒険者たち』で有名な作家である。そして、斎藤は堀内誠一からいろんな話を聞いた。その話の一つがこれであり、堀内誠一はベイヤールと四人の子どもたちの話を絵本にしたかったようだ。しかし、その構想は果たすことが出来ず、堀内は亡くなった。それで斎藤は堀内のことを偲んでこの「幻の絵本」という話を語ったのである。

ところで、わたくしがこのベイヤールと四人の子どもたちの話に興味を抱いたのは、『スーホの白い馬』との関係である。

『スーホの白い馬』には悪者と言おうか、意地悪で権力者の殿様が登場する。そして、このベイヤールと四人の子どもたちの話にも、権力者のシャルルマーニュ大帝が登場する。この大帝も四人の子どもたちに悪いことをする。しかし、ベイヤールの話は、仙女のオルランドが登場し、四人の子どもたちと馬のベイヤールを助けてくれる。この二つの話を比べると、明らかにベイヤールの話の方が光っている。寂しくて辛く、悲しい話というのもけっこうであるが、わたくしの好みからすると、ベイヤールの話の方が断然よい。

7

植松要作さんの作品『学校に馬がやってきた』（ポプラ社　一九七五年六月＊第三版）について話をします。これは山形県の小学校で馬を飼育したという話で、たぶん実話に近い作品だと思います。まず、書き出しの部分がこうです。

きょうは、鮎貝《あゆかい》小学校の創立記念日です。小森サチ子は、通学班の先頭にたって、歩いていました。ちょうど駅前にさしかかったころ、うしろから、「サチ子、おまえ知ってるか。きょう学校に馬がくるんだぞ！」と、大声で走ってくる男の子がいます。

村岡マコトでした。

サチ子とマコトは同じ五年生で、家も百メートルと離れていません。

マコトは背丈はあまり大きくありませんが、顔はいつも日焼けしていて、笑うと白い歯がのぞきます。その黒い顔に二つの眼をキラキラと輝かせて、得意そうにサチ子の前へ回りました。

サチ子はマコトの顔を見ると、「ウソだべ！　また人をだますだごで！」と、やり返しました。

確かに校長先生から「馬をかいたい」という話を聞いたことがありましたが、本当になるとは信じられなかったのです。

サチ子の後ろにいた通学班の子どもたちも、「ウソだ。」「ウソだ。」「マコちゃんのウソつき。」と、みんなではやし立てます（注4）。

村岡マコトは馬好きの小学五年生です。そして、同じ五年生の小森サチ子と通学班の子どもたちは、マコトが「きょう学校に馬がくるんだぞ！」と言ったのを信用しませんでした。しかし、鮎貝小学校に馬がやって来ます。

ところで、この作品の舞台となる鮎貝小学校は山形県の小学校で、丘の中腹にあります。その様子を作者の植松さんが次のように書いています。

前方には白鷹《しらたか》（＊この土地の地名）の平野と、そこをゆったりと流れる最上《もがみ》川が見えます。その向こうに白鷹山のどっしりとした姿。校舎の後ろには頭殿山《とうどのさん》、そして磐梯《ばんだい》朝日国立公園の山々が続いています。

窓から見える山は、もう、モミジが始っていました。明るい太陽の光を受けて、赤と黄の色どりが燃えるように輝いています（注5）。

そして、今日は鮎貝小学校の創立記念日です。校長先生がいったい、どんなことを言うのだろうと、子どもたちはドキドキしています。

校長先生が話し始めたのは馬のことでした。サチ子はマコトの言った話に近づくと感じました。

校長先生の話は次のとおりです。

「昔といっても今から三十年ぐらい前、この鮎貝には馬がたくさんいたんだ。先生が皆さんぐらいのころは、どこの農家にもいて、田んぼや畑は馬がうなっていたんだよ（＊耕していたんだよ）。先生の家も農家だったから、みんなぐらいのころに、一人でよく乗ったもんだよ。パッカ、パッカ、パッカ、パッカと。」

校長先生の身振りがおかしかったのか、あちこちから笑い声が起りました（注6）。

この後、校長先生は今日、馬がこの学校に来ると伝え、「みんな、馬に乗れますよ。馬と仲良しになってもらいたいね。」と言った。

それを聞いてサチ子はびっくりした。近くで「ヒヤッホーッ！」と叫んだ者がいる。サチ子は誰だと思って振り返ると、それはマコトだった。自分の話が当たったという得意さと、馬と遊べるという楽しみが混ざった声だった。

8

こうして、学校に馬がやって来るということになるのだが、事はそう簡単に進まない。
「馬なんか見たくない。うんこをたれて、すごく臭いぞ。」という子どもがいた。それは江藤ヨシヒロである。ヨシヒロはひとり息子で、お父さんは会社員、お母さんはＰＴＡ役員である。ヨシヒロはいつも勉強ばかりしていて、学校から帰っても他の子どもたちと殆ど遊ばない。サチ子はヨシヒロの言い方に腹が立った。そして、サチ子はいつの間にか、馬を見たいと思うようになった。

学校には、二位野《にいの》という若い男の先生がいる。学校に馬がやって来て、まず二位野先生が乗ってみることにした。

二位野先生は初め、上手に乗っていたが、途中で馬の背から、ずるずると落ちて地面に転がった。馬はそんなに早く走っていなかった。小刻みにすたすたと散歩するような動きであったから、二位野先生は転がり落ちても大きなけがはしなかった。そして、二位野先生は馬を追いかけて土手に上ろうとして、再び転んでしまった。見ていた皆はゲラゲラと笑った。

そのような滑稽な場面であったが、一人だけ「くだらねえな。」と言って、帰りかけた男の子がいた。それは江藤ヨシヒロだった。ヨシヒロは後ろも見ないで、家に帰った。

さて、その後、学校は馬をどのように扱ったのだろうか。

保護者やＰＴＡは学校が馬を飼うことについて、賛否両論である。「学校に馬を飼う話なんか、おらも本気にできなかった。酒を飲んだ時の話だし、信じられなかったよ。」とサチ子の父ちゃんが言った。

ところで、学校では子どもたちを馬に乗せる練習を何度も行った。校長先生が子どもたちを押し上げて馬に乗せた。怖がる子どももいたが、「殿様になったみたいだ！」と喜ぶ子どももいた。ある女の子は怖い気持ちが強くなって、馬の上で泣いてしまった。

校長先生はある時、五年生と六年生の子どもたちにこんな話をした。

馬は昔、鮎貝の先祖がとても大事に扱ってきた動物だ。田んぼや畑はみんな、馬が耕してくれたのだ。だから、先生がまだ君たちぐらいの時は、同じ家の中に馬も一緒に暮らして、大事にされていた。この馬と君たちが仲良しになることは、鮎貝の先祖の心を知ることにもなるのだ。馬は機械ではない。金で買えるオモチャでもないんだ。みんながやさしい心で大事に扱ってやれば、馬も君たちの心をちゃんとわかるようになる（注7）。

ところで、江藤ヨシヒロはどうしたのであろう。ヨシヒロは校長先生の話を充分に聞かず、さっさと帰っていった。

そして、サチ子は自分の番になると、校長先生が押し上げてくれた。サチ子は楽しくて、浮き浮きしながら馬の散歩に付き合った。もっと乗っていたいなと思っているうちに「はい、次の人。」と言われ、サチ子はポンと飛び降りた。

それから、学級で馬の名前を決めることになった。いろんな名前の提案があったが、けっきょく、「はやぶさタロー」という名前がついた。そして、学校に馬小屋が作られ、桶に餌をやる係、肥《こえ》を出す係が当番で決められた。

そして、ある日、こんなことが起きた。放課後、サチ子が校門を出た時、ヨシヒロと他の子が待ち構えていた。二人はサチ子を見ると、にやにや笑って後ろからついて来た。そして、「あー、臭い、臭い。馬糞《まぐそ》臭い。」とヨシヒロが大声で言った。

それから、サチ子は学校に行く気がしなくなった。

ところで、不思議なことに、江藤ヨシヒロは図画の時間に馬の絵を描いた。また、こっそりと馬小屋に行ってニンジンを食べさした。そのようなヨシヒロが或る日、村岡マコトたちとゼンマイ採りに行った。その時、ヨシヒロは黒マムシに指を噛《か》まれた。大変な事だ。マコトはヨシヒロの手を引いて藪を走った。

スキー場の所に出ると、馬のタローの汗を拭いているサチ子がいた。マコトがサチ子に言った、「サッちゃん。タローを貸してくれ！　ヨシヒロがマムシに食いつかれたんだ！」そういうがはやいか、マコトはヨシヒロをタローに乗せ、自分が手綱を引いて走らせた。

「ハイヨッ！」マコトは掛け声をかけて手綱を緩めず、並足でスタートしました。タローはマコトの掛け声を待っていたようにスキー場から下の道に降りて、荒砥《あらと》街道に向かいました。サチ子はジュン子とユキ子と一緒に学校に駆けつけました（注8）。

この後、二位野先生と用務員のおじさん、それに校長先生が動き出し、江藤ヨシヒロは病院に運ばれ、「もう大丈夫。」となった。

しかし、この後、もう一つの事件が起こった。それはヨシヒロのお母さんがマコトにお礼を言いながら、「あんまりむちゃな遊びにヨシヒロを誘わないでね。」「マコトくん、ヨシヒロにもしものことがあったら、どうする気だった?」ときついことを言った。

すると、しばらくして、ヨシヒロが言った、「お母さんは何もわかってないんだ。マコトくんは俺の友だちだ。マコトくんば悪く言ったら、なんぼお母さんでも勘弁しないからな。マコトくんは俺のために命懸けだったんだ!」そう言われると、ヨシヒロのお母さんはぷりぷりしてドアを開け、部屋を出て行った。

それから、クラスのみんなが江藤ヨシヒロの部屋に集まった。夏休みには栃窪《とちくぼ》というところへ草刈りに行こう。そこの草を干し草にしてタローの餌にしよう。栃窪の草は、馬を病気にさせないという。「よし、おらあに任《まか》しとけ。」マコトは明るい顔で言った。

9

この作品『学校に馬がやってきた』は山形県白鷹町の鮎貝小学校の物語で、殆どノンフィクションに近い作品である。

今からはもうずいぶん前の話のようであるが、馬と子どもたちの出会い、それから、馬をめぐる子ども及び大人たちの話が現在も生きている、わたくしにはそう思えた。

先に述べたスーホの白馬はモンゴルの民話である。そして、ベイヤールはフランスのずいぶん昔の話であり、伝説である。この二つの話とタローの話を比べると、タローの話は日本の話であり、農耕作の盛んだった時代の再現を思わせる。今は馬といえば、テレビなどで殆ど競馬の話である。

馬は速く走る動物であり、また、昔は農耕作で働き、重いもの（荷物や石など）を運ぶ仕事をした。人間にとって生活の中で親しみのある動物である。

それにしても、馬をただの機械のように思ってしまう人もいるだろう。しかし、わたくしは馬を人間にとって親しみのある生物と捉え、人間と同じように愛したいと思う。この頃、世の中ではペットブームというのがあり、犬や猫が可愛がられている。それはそれでよいことであり、楽しみなことである。しかし、馬は果たしてペットになり得るだろうか。生まれたばかりの小さな馬はペットになり得るが、身体が大きくなるとペットとは言い難い。

わたくしは馬を友だちと考えている。人間と同じように愛したい。しかし、わたくしの周辺に住ませて飼うということはできない。それが現実である。だから、わたくしは本の物語の中に出てくる馬を限りなく愛する。脳裏で走り回っている馬の姿を思い浮かべながら、笑ったり、涙を流したりしている。それが現実である。

10

この話の最後に馬の絵本の話をします。それはルース・エインワース作・石井桃子訳、酒井信義《のぶよし》画の『ちいさなろば』（福音館書店＊『こどものとも　年中向き』通巻百七号　一九九五年十二月一日）です。

この話には黒い馬と白い馬とが出てきます。そして、サンタクロースと子どもたちが登場します。わたくしはこの絵本を見ながら十二月末の雪の降る日を思い浮かべました。

まず表紙を開くと、小さな黒いロバの絵が載っています。ロバは横向きに雪の降る草原に立っています。それから、次のページを開くと、この黒いロバが一軒の家しか見当たらない広い草原をものすごいスピードで走っています。すると、女の子二人が長いコート（外套）を着て外に出てきます。

女の子の一人は青色のコート、もう一人の女の子は薄緑色のコートを着ています。そして、二人は黒いロバに近づきます。その次のページを開くと、二人の少女はロバの所から去って、自分たちの家に帰って行きます。ロバはそれをじっと見ています。さて、石井桃子の文章は次のとおりです。

ロバはじっと立って考えました。サンタクロースがここにやって来て、大きな袋から、自分にプレゼントを出してくれたらどんなにいいだろうと、ロバは思いました。ロバは靴下やプレゼントの話を今まで聞いたことがなかったので、どんなプレゼントだってきっと大好きになると思いました（注9）。

女の子たちと別れた日の夜中、ロバはリンリンと鳴る鈴の音で目を覚ました。外を見ると、四頭のトナカイが銀色の橇を引いている。橇を御しているのは白いひげを生やし、赤い服を着たおじいさんだった。橇の上には、はち切れそうな大きい袋がのっていた。

ロバのいる牧場で橇が急に止まった。そして、橇から降りたおじいさんが「困ったことになったのだ。」と言った。「トナカイの一頭が足を傷《いた》めたので休ませてやらねばならん。お前、助けてくれないかね？」

ロバは言った、「おてつだいします！」ロバはさらにこう言った、「足を傷めたトナカイくんをぼくの小屋に入れて、寝床で休ませてやってください。」

それから、おじさんはトナカイの一頭を小屋に入れ、ロバを橇の一団に加えた。

ロバはトナカイたちと一緒に走り出すと、自分の体が鳥の羽のように軽くなった気がした。

そして、橇は家々の屋根を越え、木々の梢《こずえ》を越え、教会の塔を越え、空中を悠々と飛んだ。

やがて、橇は目的の場所に到着した。サンタクロースのおじさんは橇から降りると、大きな袋を背負って子どもたちのいる家の煙突をめざした。おじさんは煙突から家の中に入り、子どもたちの寝ている部屋をめざした。部屋のベッドの端には長い靴下が吊るしてあった。その靴下の中に、おじさんは子どもの欲しがっているものを入れた。

今度入った家で、ロバは「おやっ！」と驚いた。子ども部屋には、前に会った二人の女の子が眠っていた。女の子は姉妹だったのだ。サンタクロースのおじさんは靴下の底にまず、リンゴ、オレンジ、胡桃《くるみ》を入れた。それから、妖精の人形、おもちゃの道具などを入れた。おじさんは静かに静かに手を動かし、足を動かしたから、女の子たちは目を覚まさなかった。

こうして、おじさんは次々と家をまわり、子どもたちの靴下にどんどんプレゼントを入れた。そして、おじさんの大きな袋はもう空っぽになった。

黒いロバはおじさんの楽しい仕事を見て心がわくわくしたが、しまいにはやはり、疲れた。そして、おじさんの橇がロバの牧場に降りた時、「やっと、家に帰った！」とホッとした。

足を傷めて休んでいたトナカイはもう、元気になっていた。そして、サンタクロースのおじさんがロバに言った、「お前のおかげで、たいへん助かった。お前には何か、いいプレゼントをやらなくてはならないな。」すると、ロバは急いで言った、「どうか、ぼくに友だちをください。今は昼間、遊ぶ時も、夜休む時も、一人ぼっちなのです。」それを聞いておじさんはにっこり笑いながら言った、「明日の朝になると何かがお前を待っているよ。」それから、サンタクロースのおじさんはさよならと手を振って橇に乗り、自分の住まいに帰って行った。

11

さて、これからが絵本『ちいさなろば』のフィナーレです。サンタクロースのおじさんと別れた後、ロバは眠り、やがて朝が来たので目を覚ましました。すると、小屋の入り口に誰かが立っていました。さて、いったい誰でしょう？

二人の女の子かな？　ロバは急いで小屋の入り口に走りました。すると、見たこともないものが立っていました。

それは、白いロバでした。黒いロバは言った、「あなたは誰ですか？」白いロバは言った、「私の名前は、雪の女王です。私はこれから、あなたの友だちになって、一緒に遊んだり、一緒に休んだりするんです。」

それを聞いて黒いロバは大喜び。黒いロバは白いロバと一緒に牧場をぐるぐる、ぐるぐると駆け回った。黒いロバにやっと、楽しい友だちができたのである。

さて、この物語『ちいさなろば』は、一人ぼっちで友だちのいない黒いロバがサンタクロースのお手伝いをした良き行為で、友だちの白いロバと出会い、親友になるという、実に心温まる話である。黒いロバは男の子で、白いロバは女の子だから、異性の友だちである。

この話は少しおませな話のようにも思えるが、サンタクロースのおじさんが子どもたちに食べ物や服装や本といった物をプレゼントしてくれるのも嬉しいが、何といっても、友だちのいない子に友だちをプレゼントしてくれるというのはまさに、天の恵み、神の恵みと言えるであろう。

『ちいさなろば』の話は馬の話だが、人間にとっても大変楽しい物語である。

注

(1) 拙著『石井桃子論ほか　第二』(てらいんく　二〇二一年八月) 九五〜九八ページ。

(2) 大塚勇三・再話、赤羽末吉・画『スーホの白い馬』(福音館書店　一九六七年十月第一刷＊一九八九年十一月第五十五刷) ＊四六ページ。

(3) 斉藤惇夫「幻の絵本」。瀬田貞二を偲ぶ会記念誌『汐の香』(おうむぶんこ　一九八八年五月) に掲載されている。

(4) 植松要作『学校に馬がやってきた』(ポプラ社　一九七五年六月＊第三版) 六〜七ページ。平仮名は適宜、漢字に改めた。以下同様。
（5）前出（4）『学校に馬がやってきた』十～十一ページ。
（6）前出（4）『学校に馬がやってきた』十二～十三ページ。
（7）前出（4）『学校に馬がやってきた』三六～三七ページ。
（8）前出（4）『学校に馬がやってきた』一〇〇～一〇一ページ。
（9）ルース・エインワース作・石井桃子訳、酒井信義《のぶよし》画の『ちいさなろば』（福音館書店＊『こどものとも年中向き』通巻百七号　一九九五年十二月一日）五ページ。引用の場合、仮名遣いは適宜、漢字に改めた。以下同様。

写真解説　石井桃子論ほか　第二

＊写真は全12枚。但し、④⑤⑥⑦は各2枚。

①『山のトムさん』

・福音館書店、一九六八年七月初版、一九八五年八月第十二刷。画は深沢紅子《ふかざわこうこ》。他に石井作品『やまのこどもたち』（岩波書店）『やまのたけちゃん』（同前）の絵も深沢が担当。

・本の内容は「トムをほめる歌」「トムの教育」（ネズミ、子ネコ、友だち）「トムの記録《レコード》」「トムのあだ名」「トムの病気」「トムの「おすわり」」「トムの冒険」「トムのおむかえ」「トムのご出勤」「トム、町へいく」「山のクリスマス」。「あとがき」を石井は二回、執筆している。一回目（光文社版）は一九五七年の秋で、〈トムは九つになりました、人間なら小学三年というところです〉と書いている。二回目（福音館書店版）は一九六八年の初夏で、〈この本の登場人物はトムをぬかして皆さん健在ですが、それぞれに年をとりました〉と書いている。

②『三月　ひなのつき』

・福音館書店、一九六三年十二月初版、一九七九年一月第十七刷。画は朝倉摂《せつ》。

・本の内容は、よし子とおかあさんが中心で、それぞれがお雛《ひな》さまのことにこだわりつつ別々の思いを抱くが、最終的には結びつくというストーリーである。

③『おひとよしのりゅう』

学習研究社、一九六六年二月初版、一九六六年十二月第四版。ケネス＝グレーアム作、石井桃子訳、寺島竜一画。英語原題のタイトルは、*The Reluctant Dragon* である。本の内容は、「おひとよしのりゅう」の他に、「バーティくん大《おお》うかれ」。「バーティくん大《おお》うかれ」は、グレーアムの死後、夫人が遺稿の中から見出したものである。

④『幻の朱《あか》い実』上・下

岩波書店、上は一九九四年二月第一刷、下は一九九四年三月第一刷。装丁は司修。上は第一部で全四四九ページ。下は第二部と第三部で合計全三六二ページ。石井は自伝と述べていないが、中身は若き日の思い出と、晩年の思い出とから成り立っている。自伝的な小説である。幼い日のことは既に『幼《おさな》ものがたり』で書いているし『ノンちゃん雲に乗る』でも書いているので、石井はまだ書いていなかった社会人になってからの自分のことを書き残しておきたかったのである。老いた母を看病したり、大学時代の友人のことを思い出したり、また、出版社に勤めていた時のこと等、自分の頭に浮かんでくるあれこれを記述したのがこの作品である。石井桃子の最終作品である。

⑤『現代文』『現代文三訂版』

三省堂発行の高等学校国語の教科書。一九八四年(昭和五十九)再版のものと三訂版(一九八九年)のもの。両方に掲載されているのが、宮沢賢治の作品「なめとこ山の熊」である。一九八四年版では第一単元「人間を見つめる」で伊藤整の評論「青春について」と並んで、この作品が掲載されている。一九八九年の三訂版では第二単元「人間を見つめる」で長谷川四郎の小説「ぼくの伯父《おじ》さん」と並んで、この作品が掲載されている。

宮沢賢治の作品「なめとこ山の熊」は教科書にはなかなか載らない作品であるが、この教科書には載っているので教育現場から大いなる反響があった。

⑥『ものがたり　ベートーベン』『愛と悲しみの交響曲　ベートーベン』

伊藤佐喜雄の著書『ものがたり　ベートーベン』は偕成社の児童伝記全集全50巻の第10巻である。A5

判で全二〇六ページ。一九六五年（昭和四十）六月の発行。装丁は沢田重隆、口絵・挿絵は池田かずお。中身は全二十六章であるが、大きく全四部で構成している。第一部は「少年の日のくるしみ」（「1　おじいさんとさんぽ」～「6　教会のオルガン」）、第二部は「音楽のみち」（「7　女王さまのいす」～「13　たのしいピクニック」）、第三部は「ともだちのなさけ」（「14　ともだちのなさけ」～「19　ふたりのおとうと」）、第四部は「よろこびの歌」（「20　えいゆうナポレオン」～「26　たましいの平和」）。

高木卓の著書『愛と悲しみの交響曲　ベートーベン』は講談社の少年少女講談社文庫のB（伝記と歴史シリーズ）の12で全一八六ページである。絵は岡野譲二。佐藤の著書『ものがたり　ベートーベン』より小型である。発行は一九七三年（昭和四十八）七月第一刷。中身は佐藤の著書より高度な内容であり、中学生や高校生向きである。

内容は全十九章であるが、大きく全三部で構成している。第一部は「少年から青年へ」（「1　夜中のけいこ」～「6　かなしみとよろこび」）、第二部は「きりひらく人生」（「7　ハイドンのけいこ」～「11　かなしい書きおき」）、第三部は「第二の人生」（「12　白紙の楽譜」～「19　月桂冠」）。伝記の終りに、「ベートーベンの年譜」「ベートーベンとわたし」が付いている。後者の「ベートーベンとわたし」はドイツ文学者であり、音楽家の母をもつ高木らしいエッセイである。

⑦

『みだれる季節』『赤いコップ』

打木村治の作品『みだれる季節』は一九五九年（昭和三十四）五月、朱雀社から出版された。若者、特に社会人になったばかりの若人に読んでもらいたい作品。太平洋戦争後のまだ復興していない頃の社会事情が詳しく書かれている。『赤いコップ』は児童文学者協会編の少年少女小説選集であり、奈街三郎の「兄とおとうと」、北川千代の「冬をしのぐ花」、壺井栄の「やなぎの糸」など名作が揃っている。それらの最終を飾っているのが打木の作品「赤いコップ」である。なお、この少年少女小説選集『赤いコップ』

は一九四八年（昭和二十三）十一月、紀元社から発行された。

⑧『学校に馬がやってきた』

これはポプラ社の創作文庫で、小学中級向きと書かれている。この作品のクライマックスは、江藤ヨシヒロという少し捻《ひね》くれた小学五年生の子どもが草叢でマムシに指を噛《か》まれ、それをクラスメイトの村岡マコトが一生懸命になって助けるというところ。マコトは素早くヨシヒロを馬のタローに乗せ、馬の手綱を引き病院へ急ぐ。「俺、死ぬかな。」と呟くヨシヒロをマコトは「死なないよ。」と叫び、病院へ急ぐ。眼鏡をかけている少年がヨシヒロであり、手綱を握って懸命にタローを走らせているのがマコトである。こうして、ヨシヒロとマコトとの間に友情が生まれる。そうすると、この物語は男の子同士の友情の話かと思われるが、実は他にも話がある。それは同じクラスの女の子小森サチ子が、タローに乗って愉快に運動場を歩くというところや、サチ子がタローの糞を片付けているのを江藤ヨシヒロともう一人の児童が軽蔑するところである。この話は小学校で馬を飼育するという物語であり、児童には楽しくて愉快な話である。

馬のタローの絵がたいへんすばらしい。それは石井桃子の絵本『ちいさなねこ』（福音館書店一九六三年）の絵を描いた横内襄《よこうちじょう》の作である。

竹長 吉正（たけなが よしまさ）

1946年、福井県生まれ。埼玉大学名誉教授。白鷗大学、埼玉県立衛生短期大学（現、埼玉県立大学）、群馬県立女子大学などでも講義を行った。
日本近代文学、児童文学、国語教育の講義を行い、著書を出版。『日本近代戦争文学史』『文学教育の坩堝』『霜田史光　作品と研究』『ピノッキオ物語の研究 ―― 日本における翻訳・戯曲・紙芝居・国語教材等 ――』『石垣りん・吉野弘・茨木のり子　詩人の世界 ――（附）西川満詩鈔ほか ――』『石井桃子論ほか ―― 現代日本児童文学への視点 ――』など。

てらいんくの評論

石井桃子論ほか 第二 ―― 現代日本児童文学への視点 ――

発行日	2021年8月12日　初版第一刷発行
著　者	竹長吉正
カバー絵	高垣真理
発行者	佐相美佐枝
発行所	株式会社てらいんく 〒215-0007　神奈川県川崎市麻生区向原3-14-7 TEL　044-953-1828　　FAX　044-959-1803 振替　00250-0-85472
印刷所	モリモト印刷株式会社

ISBN978-4-86261-167-3　C0095

シリーズ　てらいんくの評論

竹長吉正　評論集

ピノッキオ物語の研究

――日本における翻訳・戯曲・紙芝居・国語教材等――

あくたれ少年の破天荒な物語は、どのように日本に登場、定着したのか。

A5判上製／四九四頁／ISBN978-4-86261-127-7 ◆本体三、八〇〇円＋税

石井桃子論ほか

――現代日本児童文学への視点――

現代日本の「子どもの文学」の新しい見方を提示する。

四六判並製／四三二頁／ISBN978-4-86261-154-3 ◆本体三、二〇〇円＋税

石垣りん・吉野弘・茨木のり子　詩人の世界

――（附）西川満詩鈔ほか――

昭和の戦後に個性的な詩を書いた三詩人の《魂》の叫び、《心》の叫び！

四六判並製／三七五頁／ISBN978-4-86261-153-6 ◆本体二、六〇〇円＋税